AFIRMANDO MIS PASOS

CLAUDIA DE FAJARDO

BOGOTÁ, D.C. COLOMBIA
2 001

2 001 © Claudia de Fajardo

Publicado por Misión Joven Internacional
Transversal 43 N° 15 - 65
335 0452
mji@mji-intl.org

Impreso por PANAMERICANA Formas e Impresos S.A.
Cll 65 N° 95-28
430 2110 430 0355
Bogotá, D.C.
Colombia

ISBN 958-33-1008-5

Diseño y diagramación: Camila Díaz Torres
Revisión: Luisa Leiva

Primera Edición Abril 1999   10 000 ejemplares
Segunda Edición Junio 2001   30 000 ejemplares

Impreso en Colombia

CONTENIDO

AGRADECIMIENTOS

Gracias Señor por toda tu misericordia y amor que has manifestado a mi vida y a mi familia en todos estos años. Gracias por tu aliento, tu ternura y tu cuidado.

Gracias por darme la oportunidad de servirte junto con mi esposo César y dejarnos ver hecho realidad lo que soñamos años atrás cuando sólo éramos unos pocos. Gracias por permitirnos dar a conocer tu amor y gran nombre, no sólo en Colombia, sino en las naciones del mundo.

Gracias a mis Pastores César y Claudia Castellanos quienes siempre han creído en nosotros y nos han apoyado incondicionalmente, permitiendo que nos desarrollemos ministerialmente. Gracias por permitirnos contar siempre con ustedes no sólo como Pastores, sino como amigos y consejeros. Han sido para nosotros una gran bendición.

Los amamos y les damos gracias a Dios por sus vidas, sabemos que son el instrumento que Dios ha usado para impulsarnos siempre a enfrentar nuevos desafíos y dar los pasos de fe que nos han permitido experimentar más de Dios en las diferentes áreas de nuestras vidas.

Gracias a nuestro equipo de doce de Misión Joven Internacional, son excelentes, son toda una bendición. Han sido parte fundamental en el ministerio de jóvenes. Ustedes son un regalo de Dios, ha sido hermoso compartir juntos todos estos años y verlos crecer, madurar y ser esos grandes líderes que ahora son.

Gracias por su fidelidad, constancia, empuje y por darsen a otros desinteresadamente estando siempre dispuestos a dar lo mejor.

Gracias a todo el ministerio de jóvenes por ser valientes y esforzados, por servir de inspiración para la elaboración de este material. Es mi deseo que sea útil no sólo para sus vidas; sino también, para ayudar a otros en su andar con Cristo.

Agradezco también a Luisa Del Río por la dedicación en la revisión y corrección de este material, tu colaboración ha sido muy valiosa. Al equipo de diseño y diagramación por el trabajo y tiempo invertido en su elaboración.

De manera muy especial quiero dar gracias a mi amado esposo por estar conmigo en cada reto, siendo parte activa con su apoyo, amor, consejo y paciencia. Sé que no es fácil, pues detrás de un libro hay muchas horas de trabajo y dedicación.

Tú me has dado la libertad para realizar este sueño y orientar a los nuevos creyentes en sus primeros pasos. Te amo, eres el hombre que siempre soñé y doy gracias a Dios por tu vida, porque has sido para mí no sólo un ejemplo, sino que has llenado mi corazón y me has alentado a asumir nuevos desafíos. Aún falta mucho por conquistar y lo vamos hacer juntos para la gloria de Dios.

A Josué y Alejandro, mis dos hijos, gracias por su amor, paciencia y ternura. Por esas palabras lindas y el tiempo que me han facilitado, sé que ustedes son parte activa de este ministerio y desde ahora se están dejando usar para engrandecer la obra del Señor.

Gracias a mi mamita "Chabelita", ha sido muy lindo compartir contigo, tú siempre has sido mi amiga y has estado cuando te he necesitado.

Gracias a ti dulce Espíritu Santo, anhelo que siempre estés a mi lado para poder reflejar tu amor y tu presencia de manera que el mundo te conozca como el Dios real y verdadero que eres.

INTRODUCCIÓN

Al escribir estas páginas viene a mi memoria el caso de una joven de aproximadamente dieciocho años, muy entusiasta y agradable, además, tenía la facilidad para llegarle a la gente. Se percibía en ella un tremendo potencial de liderazgo y muchas posibilidades de ser un instrumento útil en las manos del Señor que ganaría no sólo su casa, sino que influiría en mucha gente.

Sin embargo, esta persona no llevó a cabo lo anterior por una sencilla razón le faltó echar buenos cimientos para prevalecer en el camino que había escogido.
Fue así como empezó una relación sentimental fuera de la voluntad de Dios, se hizo sorda al consejo, se obstinó y no atendió razones. Lo triste fue ver cómo su vida tomo un rumbo tan diferente al que Dios tenía para ella, pues el joven con quien sostenía la relación le hizo la vida tan imposible que no le quedó más remedio que separarse de él.

Da pena ver cómo su vida habría podido ser tan plena de haber permanecido fiel; pero quedó convertida en un caos, viviendo el temor, la desilusión y el dolor de una separación por no poner un cimiento firme para moverse conforme a la voluntad de Dios.

En contraste, he visto personas que estuvieron en vicios, con una vida sexual promiscua, destruidos por la frustración en el ámbito familiar y personal, y ahora son testimonio vivo de lo que puede hacer Dios cuando alguien se vuelve a Él. Manifestando cambios tan trascendentales que le dejan a uno sin palabras, con ministerios prósperos, bendecidos, con una forma de vida y una familia ejemplar que los lleva a ser influencia y reto para aquellos que les rodean.

La diferencia la hizo que unos aprendieron y practicaron lo básico para permanecer en Cristo; mientras que los otros, por ignorarlo o no obedecerlo no se mantuvieron firmes en su decisión para lograr así la victoria y recibir lo que Dios tenía para ellos.

Consciente que la diferencia entre una vida de victoria y una de derrota la da el cimentarse correctamente en los principios Bíblicos los cuales ayudan a recibir la vida abundante que Cristo conquistó en la cruz, es que he escrito: "AFIRMANDO MIS PASOS" cuyo fin es darle herramientas que le sean de ayuda para mantenerse fiel en su caminar con Dios.

Aquí encontrará una orientación sencilla sobre cómo manejar las relaciones con otras personas, le dará alternativas para que ahora como creyente enfrente los hábitos que le esclavizaban y pueda vencer la tentación.

Así mismo se desarrollan temas sobre cómo acercarse, a través de la oración al ser más maravilloso de la creación «Dios», escuchar su consejo, acudiendo a la Palabra como fuente de vida y a la iglesia como un refugio de Dios. Usted aprenderá a tener una vida equilibrada, de manera que crezca en todo aspecto como lo hizo Jesús.

Todos los temas están acompañados de un taller que le ayudará a ahondar más en el tema, verificando lo aprendido, repasar la lección o enseñarlo a otros. Aquí está plasmado lo que he aplicado en el ministerio durante estos diez años, he tenido la oportunidad de verlo funcionar con muy buenos resultados.

Ha sido para mí muy satisfactorio ver personas con las cuales apliqué estos sencillos pasos sirviéndole ahora al Señor y enseñándoles a miles de personas lo que para ellos funcionó y los llevó a tener en sus vidas, el testimonio de lo que puede hacer Dios cuando uno es fiel a estos principios básicos y eficaces.

Es mi anhelo que ahora que usted tiene la oportunidad de leer «AFIRMANDO MIS PASOS» sea parte de los testimonios de aquellos que aplicaron las enseñanzas de este libro. Deseo que vea en su vida cambios tan trascendentales que lo conviertan en un desafío para otros y en un canal de bendición a través del cual Dios pueda fluir con libertad.

PRÓLOGO

Qué emocionantes son estos momentos, luego que hemos aceptado a Cristo como el Señor de nuestra vida.

Durante muchos años he sido un evangelista y he tenido la oportunidad de ver a multitudes de personas tocadas por el poder de Dios. He visto sanidades tremendas, liberaciones y grandes milagros hechos por el poder de Dios.

El momento que más me impresiona e impacta es el momento en el que las personas toman su decisión de seguir a Cristo con todo su corazón. Las he visto correr al altar con sus ojos llenos de lágrimas, expresando su deseo de querer de aquí en adelante caminar con Cristo, seguirle y nunca apartarse de Él.

Es en este instante, cuando la vida en realidad se siente llena y plena, pues nos hemos vuelto a Dios. Este encuentro personal con Jesucristo produce en nosotros muchos cambios, una transformación profunda en nuestro ser y como consecuencia empieza a aparecer en nuestro corazón grandes interrogantes, preguntas que necesitan respuestas.

Entramos en una nueva etapa de nuestro caminar con Dios. Comenzamos a cuestionarnos sobre muchas cosas que veníamos haciendo y sobre cómo veníamos actuando y necesitamos urgentemente respuestas que a la luz de la Palabra, suplan la ignorancia que existe en nosotros sobre nuestro andar en el Señor.

Es entonces, después de decidirnos por Cristo que aparecen las pruebas, el enemigo busca otra vez hacernos retornar al antiguo camino de andar sin Dios.

En esos momentos de prueba, aún nuestra familia y amigos son el instrumento utilizado por el enemigo, viene la presión, la crítica, la incomprensión por la decisión que hemos tomado.

Muchos de los nuevos creyentes vuelven atrás en su caminar con Dios, porque no han podido afianzarse con el conocimiento suficiente y sobre todo con los pasos prácticos para vivir una vida cristiana de victoria. La decisión por Cristo es apenas el inicio, de allí en adelante comienza un largo proceso de formación para convertirnos realmente en instrumentos en las manos de Dios.

Necesitamos urgentemente una respuesta a ese vacío, a esas preguntas de aquellas personas que han tomado su decisión por Cristo, ayudándoles en su andar diario con Jesús. Ese momento emocionante de haber recibido a Cristo simplemente va a ser una historia, un recuerdo en el pasado que sencillamente no habrá afectado en nada sus vidas.

Damos gracias a Dios porque el libro que Claudia de Fajardo ha escrito, va a llenar ese vacío para aquellos que se inician en la vida cristiana. "AFIRMANDO MIS PASOS" es un libro que marca el derrotero que debe seguir cada persona que ha tomado su decisión por Jesús y se inicia en su vida cristiana.

"AFIRMANDO MIS PASOS" es un libro que le va a aconsejar como caminar con Cristo, como llevar una vida que le agrade a Él, cómo soportar las tentaciones, las pruebas, las luchas que muchas veces acarrea el comenzar a caminar con Él; pero sobre todo le va a dar soluciones bíblicas y prácticas para ser aplicadas en cada una de las situaciones que usted diariamente se enfrentará como cristiano.

A través de estas páginas usted podrá ir desarrollando una comunión mucho más íntima con Cristo, irá conociéndole, experimentando más de Su presencia, lo cual le creará la necesidad de vivir una vida de santidad, despojándose de muchas cosas que en el pasado le apartaron de Dios.

Como resultado de esa comunión con Dios y de esa santificación de su vida, usted empezará a desarrollar una vida de autoridad y este libro le enseña como ejercer esa influencia en medio de una sociedad que está necesitando de modelos, de ejemplos de verdaderos cristianos.

Dios quiera que este libro sirva para hacer de usted un verdadero cristiano. Sé que a Dios le ha placido bendecir el ministerio de Claudia, no solamente porque escribe de algo que sabe en teoría, sino que en la práctica ha sido un instrumento de Dios para formar a muchas vidas. Ella está recopilando en este libro su experiencia, los principios que ha aplicado enseñándole a multitudes de jóvenes para que se afirmen en Cristo.

Quiero felicitarlo a usted por la decisión que ha tomado de aceptar a Cristo como el Señor de su vida y de consagrarse para Él, no se detenga allí, permita que el estudio de las páginas de este libro, arraiguen en usted la convicción de una vida nueva y de testimonio para que no solamente usted sea bendecido, sino que a través de su vida muchas otras personas reciban lo mismo, permitiendo así que Dios lo haga un instrumento en sus manos. Damos gracias al Señor por haber iluminado a su sierva Claudia para preparar un trabajo tan hermoso que si lo aplicamos a nuestro diario vivir, dará resultados eternos.

Dr. Omar Cabrera.
Iglesia Visión De Futuro
Buenos Aires, Argentina.

CÓMO ENFRENTAR EL MUNDO

Muchos cuando llegan del Encuentro vienen con ganas de seguir al Señor y ser radicales en todas las áreas de su vida. No quieren nada del mundo. Sin embargo, como no saben manejar algunas situaciones se dejan vencer por las circunstancias.

Los jóvenes llegan muy motivados, abandonan la droga, los amigos y lo que los esclavizaba; pero ceden a la tentación cuando no saben reaccionar frente alguna situación embarazosa.

Un joven acababa de regresar de Encuentro y al ingresar a la universidad quiso simpatizar con sus compañeros y no pasar por "fanático" . En cierta ocasión fue con ellos a un bar, la intención era tomar únicamente gaseosa; terminó bebiendo cerveza, consumiendo droga y esclavizado nuevamente por Satanás.

Pasado el tiempo, dejó la universidad y su hogar. Empezó a vivir en forma miserable, vendió su ropa a cambio de droga, se metió en pleitos y contiendas que dejaron sus brazos apuñalados y su vida marcada por la infelicidad.

I. ¿QUÉ ES EL MUNDO?

A. Mundo

El mundo representa todo aquello que desagrada a Dios,se opone a sus enseñanzas y está bajo el dominio de Satanás (1Juan 5:19).

Las filosofías, los conceptos y las doctrinas que distorsionan o denigran a Cristo y su sacrificio en la cruz del Calvario, ofreciendo otro tipo de salvación diferente al establecido por Dios en Su Palabra, son manifestaciones del mundo.

El apóstol Juan señala tres aspectos que manifiestan el amor al mundo: los deseos de la carne, los deseos de los ojos y la vanagloria de la vida.

B. Deseos de la carne

Son aquellos que están por naturaleza en nosotros y nos impulsan a hacer lo malo incitándonos, aún desde niños, a seguir lo que la carne quiere. Se pueden describir como la satisfacción, pasión o goce que se siente por las cosas incorrectas y con las cuales le damos lugar al pecado en nuestras vidas.

Galatas 5:17-21 dice:

"Porque el deseo de la carne es contra el Espíritu, y el del Espíritu contra la carne; y estos se oponen entre sí, para que no hagáis lo que quisiereis"

Esto muestra el conflicto que vive todo cristiano: La carne quiere una cosa y el Espíritu quiere otra, de ahí la importancia de alimentar nuestro hombre espiritual.

Gálatas 5:19-21 nos da una larga lista de los pecados de la carne, ésta incluye los pecados sexuales, los relacionados con religiones paganas como la hechicería e idolatría y los relacionados con el temperamento o carácter.

El fruto del Espíritu es todo lo opuesto a la carne. En relación con Dios: amor, gozo y paz; con los demás, paciencia, benignidad y bondad; con nosotros mismos: fe, mansedumbre y templanza.

Nuestro propósito debe ser entonces que nuestro espíritu venza en la lucha con la carne. El Doctor Billy Graham lo ilustra de la siguiente manera:

"Un pescador bajaba al poblado todos los sábados por la tarde. Siempre traía con él a sus dos perros. Uno era blanco y el otro negro. Les había enseñado a pelear cuando les ordenaba hacerlo. Todos los sábados por la tarde en la plaza del pueblo se juntaba la gente para ver pelear a los perros, y los pescadores hacían sus apuestas.

Un sábado ganaba el perro negro, otro sábado ganaba el perro de color blanco ¡pero el pescador esquimal ganaba siempre!. Sus amigos empezaron a preguntarle cómo lo hacía. Les dijo: Dejo hambrear a uno y alimento al otro. El que alimento siempre gana porque se siente más fuerte".

Esto nos enseña que si queremos vencer los deseos de la carne debemos prestar especial atención a nuestro espíritu, alimentándolo y cuidándolo de tal forma que ante la tentación el espíritu prevalezca.

C. Deseos de los ojos

Los ojos pueden ser fuente de vida, pureza e inspiración o instrumentos de maldad, perversión o malos deseos. El Doctor W. E. Vine los describe como: "La principal avenida de la tentación". Los deseos de los ojos pueden describirse como un goce morboso, mal intencionado y egoísta que incluye no sólo la vista, sino también, la mente y la imaginación.

La Biblia nos enseña en **2 Pedro 2:14:**

"Tienen los ojos llenos de adulterio y no cesan de pecar"

Y en **Mateo 5:27-28:**

"Oíste que fue dicho: No cometerás adulterio.
Pero yo os digo que cualquiera que mira a una mujer para codiciarla, ya adulteró con ella en su corazón".

La palabra "mira", se refiere a los deseos de los ojos, a una mirada cargada de lascivia, la cual despierta en nuestra mente imágenes y deseos impuros.
Alguien dijo: "La primera mirada no es pecaminosa, la segunda sí"; esta segunda mirada, busca satisfacer así sea en la mente, sus propios deseos.
El comentario de Beacon dice que esta clase de lujuria es: "la tendencia a ser cautivados por la apariencia exterior de las cosas, sin inquirir sobre sus valores reales".

Los deseos de los ojos incluyen no sólo la vista, también la mente y la imaginación y buscan satisfacerse por medio de la pornografía, literatura o películas que no edifican, creando una adicción que sólo puede ser saciada cediendo a los placeres de la carne.

Generalmente, los deseos son alimentados a través de pensamientos que inducen a ver el pecado con agrado, placer y codicia, levantando argumentos para justificarlo, haciéndolo parecer insignificante y diciéndole que como no lo ha llevado a cabo no es pecado. Además, les impide ver las consecuencias que su comportamiento puede traer a su vida y la de quienes ama.

Un ejemplo común es cuando la mente vuelve a recrearse con prácticas pasadas de pecados sexuales, borracheras, juegos de azar o fiestas.
El enemigo le muestra lo bién que la pasó, el placer que se sintió y lo agradable que sería volverlo a experimentar. Acompaña estos pensamientos con afirmaciones como: "no tiene nada de malo", "todo el mundo lo hace", "no puedo volverme fanático".

La mente no se centra, en las consecuencias que tarde o temprano llegarán, sino en el placer y el deseo que se quiere sentir otra vez.

Como podemos ver, la influencia de los deseos de nuestros ojos son graves, manipulan nuestra mente y nos llevan a olvidarnos de lo que Cristo hizo por nosotros, por esto es bueno seguir el consejo del apóstol Pablo, quien nos exhorta a andar en el Espíritu y no satisfacer los deseos de la carne.

D. Vanagloria de la vida

Se refiere a creer que el sentido de la vida se encuentra en la apariencia y en el precio de las cosas y no en el valor que Dios le ha dado. La vanagloria hace alusión a dejarse llevar por la superficialidad, infla el ego y nos hace creer que se es más valioso por la posición, el dinero y los amigos.

Estas "vanidades" se convierten en fortalezas en quienes le dan lugar y les hace creer que son ellas las que le dan su lugar con la gente que les rodea. Por esta razón, algunos pasan por encima de otros, violando principios bíblicos y la Voluntad de Dios; detrás de su apariencia ocultan su inseguridad.

Un ejemplo de ello es cuando gasto más de lo que gano y vivo con deudas que roban la paz. No abandono este hábito, pues quiero aparentar que soy rico comprando ropa de marca, celular o asistiendo a sitios "IN", pensando que así gano el respeto de la gente.

Dios quiere que seamos prósperos. Cuando le amamos, El nos lleva a una buena posición. Nuestro valor nos lo da Dios y no sus beneficios, si le buscamos primero lo demás nos será añadido, ganaremos el respeto y la autoridad dada por el Señor y no por el dinero.

II. CÓMO ME AFECTA EL MUNDO

Para nadie es un misterio cómo el ambiente que vive la juventud, aquel que ofrece el mundo es de rumba, vicio, pasiones desordenadas y en general, una vida vana y vacía.

Los medios de comunicación: Radio, prensa y televisión; así como la sociedad vienen empujándonos a este tipo de vida, y nos hacen creer que para divertirnos tenemos que vincularnos en sus actividades, pues de lo contrario seremos de lo más aburridos y amargados. Estas palabras "aburridos y amargados", son las más usadas por los no cristianos para presionar a los creyentes a hacer lo que ellos quieren o dicen.

El mundo me puede afectar cuando cedo a sus caprichos, comparto sus chistes de doble sentido y participo de sus comentarios morbosos o sus invitaciones a participar del licor y de las fiestas.

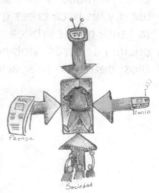

Me afecta cuando estas actividades dejan de ser una diversión y pasan a ser una esclavitud, cuando termino envuelto en situaciones de las cuales quiero salir, pero ya no puedo.

Por ejemplo; una mala relación sentimental sólo deja frustración y desengaño, una enfermedad como la cirrosis producida por el exceso de alcohol o una venérea producto de una vida disoluta y desordenada.

Este tipo de situaciones demuestran cómo la vida de mundo es un espejismo que nos hace creer que eso sí es vida; pero no deja ver el engaño y las secuelas en quienes siguen estas prácticas.

Jesús no quiere aislarnos del mundo, El quiere que brillemos y seamos luz en el lugar donde estamos,

El dijo:

"Padre no te pido que los saques del mundo sino que los guardes del mal".
Juan 17:15

III. CÓMO ENFRENTO EL MUNDO AHORA QUE SOY CRISTIANO

A. No participe de lo que el mundo le ofrece

Efesios 5:11 dice:

"Y no participéis en las obras infructuosas de las tinieblas, sino más bien, reprendedlas."

Debe aprender, desde el principio, a ser radical con el pecado y mostrar lo que ahora es sin disfraz alguno.

Por ejemplo: Si te ofrecen un trago no mientas diciendo: No gracias, estoy tomando medicina y me hace daño. La verdad no es ésta. No estás tomando medicamento alguno y no quieres enfrentar la situación.

B. Sea radical en su posición como creyente

Job 22:28 dice:

"Determinarás una cosa, y te será firme, Y sobre tus caminos resplandecerá luz."

Decida de antemano a qué cosas no va ceder. Por ejemplo: Irse de programa con no cristianos; fiestas o reuniones sociales donde prima el licor, y otros vicios. Determinarlo de antemano evitará la lucha del momento y cerrará la puerta a la caída.

Lo fundamental es decidir: pase lo que pase no voy a dejar el camino que he escogido; esto es determinación. Cuando yo hago esta parte, Dios hace la suya: traerá su luz para indicarnos qué debemos decir o hacer.

C. Evite pasar mucho tiempo con incrédulos

Estos le retarán constantemente a hacer lo malo y le incitarán a volver atrás.

D. Busque amistades que compartan sus propósitos y metas

Comparta con aquellas personas que lo desafíen a hacer más fuerte su relación con Dios.

E. Afiance su relación con Dios

Comparta diariamente con El a través de la oración y mantenga una forma de vida que no lo aleje de su lado. Para esto, le ayudará hacerse la siguiente pregunta cuando enfrente situaciones que le produzcan duda o incertidumbre: ¿Qué haría Jesús si estuviera en mi lugar?

"PORQUE VIENE EL PRÍNCIPE DE ESTE MUNDO Y ÉL NADA TIENE EN MÍ"
Juan 14:30

TALLER
CÓMO ENFRENTAR EL MUNDO

1. La palabra mundo no se refiere al mundo en que vivimos, sino lo que está en contra de Dios. Según 1de Juan 5:19 **¿Quién gobierna este mundo?**

✓ *Los espíritus de maldad*

2. Según **1 de Juan 2:16** ¿ Cuáles son las cosas específicas que dice Juan, manifiestan el amor al mundo?

✓ a. *la concupiscencia de la carne*
✓ b. *la concupiscencia de los ojos*
✓ c. *la soberbia de la vida*

3. Marque la respuesta correcta: **1 de Juan 2:15**, dice respecto al mundo que:

a. Debemos huir de él
b. Debemos amarlo y cuidarlo
c. No debemos amarlo
d. Debemos aceptarlo y vivir conforme a él

4. ¿Cómo se pueden describir los deseos de la carne?

satisfacción pasión o goce que se siente por las cosas incorrectas

c no debemos amar al mundo ni las cosas que están en el mundo

5. Todo cristiano tiene un conflicto entre la carne y el espíritu. ¿Si queremos vencer los deseos de la carne qué debemos hacer?

✓ *debemos fortalecer el espíritu.*

6. Los deseos de los ojos incluyen no sólo la vista, sino también, la mente y la imaginación.¿Por medio de qué buscan satisfacerse?

✓ adulterio codicia y despierta en nuestra mente imagenes y deseos impuros

7. ¿Para el que vive en la vanagloria de la vida qué es lo más valioso?

la aparencia y en el precio de las cosas al amor a posesiones, dinero y amigos

8. Jesús quiere que no nos dejemos llevar por el mundo, sino por el contrario, brillemos y seamos luz en donde estemos. En Juan 17:15 ¿Qué pidió Jesús por sus discípulos al Padre?

    a. Que no salieran a la calle para que no fueran tentados.
    b. Que pecaran, pero poquito.
    c. Que se murieran para que no pecaran.
✓   d. Que no los quitara del mundo, pero que los guardara del mal.

RECUERDE:
SEGUIMOS EN EL MUNDO POR ESO ES NECESARIO
DETERMINARSE, ES DECIR, DECIDIRSE DE ANTEMANO
A QUÉ COSAS NO VA A CEDER.

9. ¿A qué cosas del mundo no va a ceder?
Escriba dos ejemplos.

✓ a. _a participar en fiestas del mundo_
✓ b. _a estar de acuerdo con los que disen chistes de doble sentido_

10. Desde el principio debemos ser radicales con el pecado mostrando lo que ahora somos. Según Efesios 5:11

✓ a. ¿Qué no debo hacer?
no comunicar con las obras infructosas de las tinieblas

  b. ¿Qué debo hacer?
✓ _tengo que Redarguirlos o exsortar que ase tales cosas_

24

11. De ahora en adelante lo mejor es que sus amigos sean...

✓ (a.)Los que lo desafien a hacer mas fuerte su relación con Dios
   b. Los que vivan bajo el engaño y las secuelas del mundo
   c. Los que continuamente lo presionen a volver atrás

RECUERDE:

ANTE SITUACIONES QUE LE PRODUZCAN
DUDA O INCERTIDUMBRE, PREGÚNTESE:
¿QUÉ HARÍA JESÚS SI ESTUVIERA EN MI LUGAR?

CÓMO HABLAR CON DIOS

Todo aquel que anhela vivir en victoria, debe aprender a depender de Dios, diariamente, a través de la oración. La oración es la oportunidad que Dios le da al hombre, de dirigirse a El, el ser más grande y sublime: El Todopoderoso; para quien no existe nada imposible.Una vida constante de oración nos dá poder para vencer.

La oración es dinamita, cosas tremendas pueden ser hechas en la vida de quienes la practican a diario.Por esto debemos hacer de ella un estilo de vida que forme parte de nuestra manera de ser y de nuestros hábitos, así como lo son comer, dormir o bañarnos diariamente.

Jesucristo adquirió el hábito de la oración apartándose para hablar a solas con El Padre. **Marcos 1:35** lo dice:

> "Levantándose muy de mañana, siendo aún muy oscuro, salió y se fue a un lugar desierto y allí oraba".

I. IMPORTANCIA DE LA ORACIÓN

Como creyentes en Cristo debemos seguir las pisadas de nuestro maestro, esto significa apartar tiempo a solas con Dios, preferiblemente en la mañana, para así poder contar todo el día con su dirección, protección y apoyo en las diferentes situaciones o decisiones que debamos asumir o enfrentar.

Para que pueda orar de una manera eficaz, busque el mejor horario de acuerdo a su conveniencia, independientemente de que sea la tarde o en la noche; ore a solas, así podrá tener un tiempo de intimidad con Dios y podrá derramar su corazón con libertad sin inhibiciones ni disfraces.
Orar en la iglesia o en compañía de otros cristianos es muy agradable, cuando se empieza a caminar con Dios. Pero hacerlo estando a solas con Dios tiene ventajas que le harán amar ese tiempo y no depender solamente del que puede practicar en compañía de otros.

El Señor nos instruye sobre cómo orar en **Mateo 6:6**

> "Más tú cuando ores, entra en tu cuarto y cerrada la puerta ora a tu Padre que está en lo secreto y tu Padre que ve en lo secreto te recompensará en público".

La oración en privado tiene la ventaja que como nadie nos escucha, podemos decir todo lo que sentimos, queremos o nos preocupa, podemos acudir a Dios con nuestros defectos y virtudes, pues Él nos conoce tal como somos, conoce nuestros pensamientos e intenciones antes que se las contemos. Dios se deleita en escucharnos, nos anhela celosamente, su deseo es ayudarnos y orientarnos por medio de la oración y de su Palabra.

Lo más apropiado es tener un tiempo y lugar para tener nuestra cita diaria con Dios y desarrollar el hábito de la oración.No debemos caer en legalismo, de manera que si no alcanzo a hacer el devocional ande con complejos de culpa, en este caso debo aprender la lección y buscar con más ahínco reunirme con El Señor, pues Él no falla a la cita y sin duda me estará esperando para darme su amor, aligerar mis cargas y bendecirme. En **Mateo 11:28** Dios nos expresa su deseo por ayudarnos:

> "Venid a mi todos los que estáis trabajados
> y cargados y yo os haré descansar".

La invitación es para los que están trabajados, es decir los atribulados, afligidos, abatidos física o emocionalmente. Podrán acudir a El y dejarle toda carga, aquello que te ha tocado soportar, aguantar o sufrir.

Dios conoce tu situación y como dice en Isaías 63:9: que en toda angustia de ellos El fue angustiado;El se identifica con tu dolor, por eso dice: Vengan con todo lo que tienen, problemas familiares, sentimentales, de estudios o de trabajo y yo les daré reposo, les daré descanso.

Orar es derramar el corazón, lo cual implica que es más que repetir frases mecánicas mientras nuestra mente divaga en otras cosas.Orar es hablar con entendimiento, conscientes que estamos hablando a un ser inteligente, aunque no lo vemos está presente donde todo aquel que decida buscarle de corazón.

El Señor dice:

"...El que a mí viene yo no le echo fuera "
Juan 6:37

Si lo buscamos Él va a estar ahí, nos va a recibir y no nos va a ignorar. Es por eso que debemos hacer oraciones no de labios, sino de corazón, oraciones que podamos recordar y reconocer su respuesta.

II. CÓMO TENER UN BUEN TIEMPO DE ORACIÓN

a. Inicie su tiempo de oración reconociendo la presencia de Dios.

Hebreos 11:6 dice:

"Pero sin fe es imposible agradar a Dios, porque es necesario que el que se acerca a Dios crea que El existe y que recompensa a los que le buscan".

b. Después, confiese a Dios cualquier pecado cometido con palabras, pensamientos o acciones, así sus oraciones no tendrán estorbo.

El **Salmo 66:18** afirma:

"Si en mi corazón hubiera yo mirado la iniquidad, El Señor no me habría escuchado".

c. Puede dedicar tiempo a presentar sus necesidades específicas, Jesús las incluyó en el Padre nuestro cuando dijo:

"El pan nuestro de cada día dánoslo hoy". Mateo 6:11

Aproveche entonces, para hacer sus peticiones en el nombre de Jesús. **Juan 16:24** nos enseña:

"Hasta ahora nada habéis pedido en mi nombre; pedid y recibiréis, para que vuestro gozo sea cumplido".

d. Determine dar a Dios su mejor tiempo y no el que le sobre, pues sin duda no le va a sobrar.Hágalo plenamente convencido de que está haciendo la mejor inversión, nada le abrirá puertas más grandes como su comunión con Dios, además guardará su vida de la tentación.
Mateo 26:41 advierte:

"Velad y orad, para que no entréis en tentación; el espíritu a la verdad está dispuesto pero la carne es débil"

En la medida en que se familiarice en su hablar con Dios, incluirá a otras personas en sus oraciones, orando puede hacer mucho por ellas.Ore por lo que Dios le guíe y crea que recibirá respuesta.Termine su tiempo devocional dando gracias a Dios por las bendiciones recibidas y por la obra en su vida.

Usted debe tener en cuenta que durante el día Dios está a su lado y puede dirigirle la palabra cada vez que lo estime necesario. A El le agradará que lo haga, sesentirá parte de su vida y será una forma para ratificarle su amor.

e. Antes de dormir examine su vida preguntándole al Señor qué cosas de su vida le desagradan; pensamientos, actitudes, palabras o acciones y luego confiéceselos y apártese, como dice la Palabra en **Proverbios 28:13:**

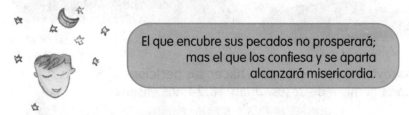

El que encubre sus pecados no prosperará; mas el que los confiesa y se aparta alcanzará misericordia.

Luego, pida al Espíritu Santo la fortaleza para seguir adelante, viviendo conforme a su voluntad y termine dándole gracias a Dios por la victoria.

«... Y EL QUE A MÍ VIENE ,
NO LE ECHO FUERA»
Juan 6:37

TALLER
CÓMO HABLAR CON DIOS

1. El que anhela tener una vida de victoria debe aprender a depender de Dios:

a. Los Sábados, para toda la semana
b. El día de la célula
c. Diariamente ✗
d. Cuando tiene problemas

2. Marque con una X la respuesta correcta.
La oración es:

a. Una obligación
b. Un requisito
c. Una oportunidad ✗

"SIENDO NUESTRO DIOS, UN DIOS TODOPODEROSO,
NADA NOS DA MAS PODER QUE UNA VIDA DE CONSTANTE
COMUNICACIÓN CON EL"

3. La oración hace cosas tremendas en la vida de quienes la practican; así que debemos hacer de ella:

a. Un _habito_ (Estylo) de _la oración_ (vida)
b. Parte de _nuestra manera_ de _ser_
c. Y de nuestros _habitos como dormir comer o Bañarnos_

4. ¿Porqué es mejor hablar a solas con Dios, que con más personas presentes?

tiene ventajas que le harán amar ese tiempo y puede pedirle a Dios que le perdone y ha ofendido y desirle que le quite todo mal abito que tenga

33

5. Según **Mateo 6:6**.

    a. Cuando vayamos a orar debemos:

oremos en la Recamara a solas y serrada la puerta

    b. Cuando oro en lo secreto, Dios...

me Reconpensara en Publico

RECUERDE:
¡¡ DIOS SE DELEITA EN ESCUCHARLO, LO ANHELA
CELOSAMENTE Y SU DESEO ES AYUDARLO !!
APARTE TIEMPO PARA SU CITA CON ÉL.

6. Si no alcanza a hacer el devocional (su tiempo a solas con Dios) debe:

    a. Estar todo el día con complejos de culpa
    b. No volver a orar pues Dios ya está enojado
    c. Dejar así, pues ese tiempo no es importante
    d. Aprender la lección y buscar con ahínco, no faltar a la cita con Él.

7. Según **Mateo 11:28**,¿Qué debemos hacer cuando estamos cargados o atribulados física o emocionalmente?:

allegarnos a el y dejar nuestras cargas en sus manos y descansar en el

8. ¿Qué debemos hacer para tener un buen tiempo de oración?

creer que Dios te perdona y escucha tu oración y te da fuerza para seguir adelante el camino que el nos marco

9. Según **Juan 6:37**. Si vamos al Señor,

el va estar ahi nos va a Recibir y no nos va a ignorar, por eso tenemos que aserlo la oración de corazón no solo de labios,

10. Teniendo en cuenta que nuestra oración no debe ser sistemática, sino muy libre para transmitir lo que hay en nuestro corazón cómo sería nuestra oración, según:

a. Hebreos 11:6 _Con fe creyendo_
que Dios escucha mi oración

b. Salmo 66:18 _Confesando todo_
pecado que haya echo ya de palabra o acciones

c. Juan 16:24 _Poniendo mis peticiones_
en el nombre de Jesucristo

"DIOS ESTÁ CON USTED DURANTE EL DÍA,
DIRÍJALE LA PALABRA CADA VEZ QUE LO NECESITE,
EN SUS DIFERENTES ACTIVIDADES Y TAMBIÉN A LA HORA DE
ACOSTARSE PARA PEDIRLE QUE LE EXAMINE Y LE SIGA
AYUDANDO A MANTENER SU COMUNIÓN CON ÉL".

36

VIDA SOCIAL

Somos seres sociales por naturaleza.
Necesitamos de los demás para realizarnos como
personas. **Génesis 2:18 dice: "no es bueno que el
hombre este solo".**
El cristianismo no es sinónimo de aislamiento. Sin
embargo, a diferencia de otras personas, los cristianos debemos aprender a manejar nuestras relaciones dentro del círculo social en que nos movemos,
sin dejar que éste nos afecte negativamente. Por el
contrario, debemos ejercer influencia sobre él.
**Jeremías 15:19 nos enseña: "... conviértanse ellos
a ti y tú no te conviertas a ellos".**

I. NUESTRO PRIMER DESAFÍO: LA GENTE QUE NOS RODEA

Después de aceptar a Cristo con lo primero que nos enfrentamos es con nuestra familia, los amigos de toda la vida y los compañeros o conocidos.

Todos ellos nos confrontan y abordan con preguntas como: ¿Es verdad que eres cristiano?, ¡No me digas que ahora no te tomas un trago!, ¡No creerás todo lo que te dicen allá!, ¿Verdad que te prohiben tener novio? o ¡Te dejaste lavar el cerebro!. Todos nos hemos visto enfrentados a situaciones y preguntas como éstas. Ahora, la pregunta es: ¿Cómo actuar ahora ante este grupo de personas?.

II. CÓMO ACTUAR FRENTE A LOS NO CREYENTES

A. Actúe con convicción y serenidad

Enfrentar preguntas mal intecionadas no será difícil, si está plenamente convencido de haber tomado la decisión correcta y escogido lo mejor. Esto le dará seguridad y convicción, al igual que cuando con astucia buscaban la caída de Jesús y El con sus respuestas dejó sin palabras a sus opositores; así lo hará usted, pues El será quien hable a través de su vida.

Por ejemplo a Jesús le preguntaron: ¿Nos es lícito dar tributo a César, o no? Mas el, comprendiendo la astucia de ellos les dijo: ¿por qué me tentáis? Mostradme una moneda. ¿De quién tiene la imagen y la inscripción? y respondiendo dijeron de César. Entonces les dijo: pues dad a César lo que es de César y a Dios lo que es de Dios. Y no pudieron sorprenderle en palabra alguna delante del pueblo, sino que maravillados de su respuesta, callaron. **Lucas 20:22-26.**

Ese mismo Jesús esta ahora de su lado, así que no se deje intimidar , Su Palabra dice:

"Todo aquel que en El creyere no será avergonzado."
Romanos 10:11.

Actúe con naturalidad y responda serenamente: "ahora si estoy disfrutando verdaderamente la vida y ustedes no saben lo que se están perdiendo." Si a esto responden con ironía o sarcasmo, no se enoje,mantenga la calma y dígales que por darles gusto no va a renunciar a lo que ahora es.

Sea radical, comprobará que la gente trata de manipularlo para que usted ceda a sus caprichos, cuando vean su firme posición le respetarán de manera, que cuando tengan problemas, a la persona que acudirán será a usted.

¡Recuerde! Nada alegra más al reino de las tinieblas que un creyente enojado o fuera de sí. Esto trae felicidad al adversario, pues cuando se aira frente a la gente pierde autoridad y le da motivos a sus oponentes para ridiculizarlo.

Lo más sabio es poner en práctica el consejo de Pedro:

"Estad siempre preparados para presentar defensa con mansedumbre y reverencia ante todo el que os demande razón de la esperanza que hay en vosotros".
1 Pedro 3:15

B. Preocúpese por agradar a Dios y no al hombre

Satanás tratará de infundirle temor al qué dirán, a la burla y al escarnio de la gente. Le puede hacer creer que lo peor que le puede pasar es fallar a los ojos de los hombres o perder la aceptación del grupo. Muchos, engañados por el adversario niegan a Jesús para tener la aprobación de sus amigos.

Si se avergüenza de ser fiel a Dios es porque no le ama lo suficiente, ama más el estar bien con la gente que con Dios; por lo tanto, terminará sin la aprobación de Dios y finalmente, sin la de los hombres.

El rey Saúl escogió agradar a los hombres antes que a Dios y esto hizo que Él lo desechara como Rey y perdiera influencia sobre el pueblo **(1 Samuel 15:24-30)**. Por eso, Dios levanta a un hombre, David, este le demuestra que lo ama por encima de todo y de todos. Arriesga su vida al pelear contra el gigante Goliat con el fin de devolverle la honra al nombre de Dios. Hecho que lo exalta no sólo delante de Dios, sino ante todo Israel. **1 Samuel 17:45-46 y 18:6-7.**

Para nosotros la clave es recordar el sacrificio de Cristo en el calvario y decidir mostrarle al Señor que no fue en vano, así no seremos creyentes por conveniencia, sino por convicción.

No sea espiritual en la iglesia y en la calle como uno que no conoce a Cristo; trate al Señor como lo haría con la persona que ama: defendiéndola si la están maltratando o humillando, siendo honesto, dándole el valor que se merece,haciendo lo que le agrada, y no le importe si tiene o no la aprobación de los demás.

El papá de Carlos Marx cambió sus convicciones cuando se fue de Alemania a Inglaterra. En Inglaterra le convenía dejar de lado las convicciones judías que había practicado toda su vida. Marx, su hijo, perdió toda credibilidad en Dios al ver la hipocresía de su padre y declaró que la religión era el opio del pueblo.

Consciente de esta verdad debe renunciar a ser agente secreto de Jesucristo y confiéselo delante de los hombres para que El lo reconozca delante del Padre. No tiene porqué avergonzarse ante las preguntas mal intencionadas o de tono burlesco, no ceda a sus caprichos sólo para demostrarles que no es un fanático.

C. Entienda su nueva posición en Cristo

Nuestra posición como creyentes es ser luz que alumbra a los que nos rodean.La Biblia dice:

"Vosotros sois la luz el mundo" Mateo 5: 14.

Ser luz es vivir como Cristo viviría si estuviera en nuestro lugar, hay que hacer la diferencia en el mundo. Aunque sea locura para quienes que están acostumbrados a la vieja forma de vida, y no la puedan entender pues son carnales y noespirituales.

"pero el hombre natural no percibe las cosas que son del Espíritu de Dios,porque para él son locura, y no las puede entender, porque se han de discernir espiritualmente. 1 Corintios 2:14.

Así los otros no entiendan el camino que escogió, usted debe estar convencido de haber tomado la mejor elección y verá que el tiempo le dará la razón y podrá decir como dice la "Biblia Al Día":

"Y ahora, gloria sea a Dios, quien por el formidable poder que actúa en nosotros puede bendecirnos infinitamente más allá de nuestras más sentidas oraciones, deseos, pensamientos y esperanzas.
Efesios 3:20

Usted tiene a Dios de su lado y por eso todos aquellos que lo atacaban tildándolo de fanático, loco o religioso terminarán convenciéndose que su Dios es real y que su elección fue la más sabia y acertada.

Ser luz, incomodará a algunos, pues su nuevo estilo de vida pondrá en evidencia los malos hábitos y costumbres de ellos. Así lo enseña la Palabra:

Juan 3: 20
"Porque todo aquel que hace lo malo aborrece la luz y no viene a la luz, para que sus obras no sean reprendidas."

Por esta razón tratarán de denigrar el cristianismo y lo que éste representa, o querrán involucrarle nuevamente en su pasada forma de vida, la cual no deja nada bueno. La palabra nos aconseja lo siguiente:

" Hijo mío, si los pecadores te quisieran engañar, no con-
sientas. Hijo mío no andes en camino con ellos.
Aparta tu pie de sus veredas."
Proverbios 1:10,15.

La invitación del proverbista es a no dejarnos envolver por la vida pasada, estando en compañía de personas que ejercen una mala influencia y nos llevan a hacer lo malo presentándolo como algo natural.

Debemos entender que el mundo no quiere nuestro bien, sino hundirnos en la vida de esclavitud y vacíos que ofrece. Por eso necesitamos ser sabios y escoger amistades verdaderas que forjen en nosotros principios que nos hagan mejores personas.

Conocí el caso de una joven que llegó muy motivada del encuentro, pero empezó a hablarse con su amiga de toda la vida, ésta le presionaba diciéndole que si de verdad era su amiga estaría con ella en sus antiguas diversiones. Efectivamente, compartió con ella ese día, pero se negó a acompañarla a la discoteca; y fue entonces cuando ella dijo: "Eso no se le hace a una amiga" y la joven en lugar de sentar su posición, ser luz, y marcar la diferencia, cedió a sus caprichos y la acompañó. Después de hacerlo sintió el peso de la culpa que trae fallarle al Señor al recaer en antiguos vicios y no valorar su posición en Cristo; la ventaja fue que ella buscó ayuda en lugar de pensar que no servía como Cristiana. Esto le permitió aprender la lección y reivindicar su lugar ante Dios y los hombres.

D. Forme un nuevo grupo de amigos

El creyente sin amigos cristianos, difícilmente saldrá adelante. El reto debe ser formar un grupo de amigos dentro de su nueva forma de vida.
Para esto debe aplicar **Proverbios 18:24:**

> "El hombre que tiene amigos ha de mostrarse amigo..."

Hablar con las personas de la iglesia, conocerlas responder con cortesía a sus preguntas y escucharlas, le servirá para hacerse amigo de ellas y después aprender a amarlas y valorarlas.

La mejor forma para hacer amistad es asistir fielmente al post-encuentro, a célula, a la reunión de jóvenes, a la reunión del domingo y mostrar siempre una actitud abierta que infunda confianza a quienes se le acercan. No use respuestas cerradas como: ¡Si!, ¡No!, ¡Bien!; éstas déjan a los demás sin tema de conversación y sin ganas de buscarle, nuevamente, para hablar.

Es importante que haga amistad con la gente más consagrada de la iglesia, ellos se convertirán en un desafío para su vida, guardándole del conformismo o de sentir que ya es muy santo por no practicar los pecados vergonzosos que practicaba antes.

Proverbios 13:20 aconseja:

> "El que anda con sabios, sabio será;
> más el que se junta con necios será quebrantado".
> Proverbios 13:20

El permanecer con malas compañías o con personas que ejercen una influencia negativa en su vida y le inciten vover atrás no es conveniente. Ellos le harán retroceder y renunciar a la vida cristiana. Por su insistencia puede terminar cediendo y al hacerlo peca, y el pecado trae quebrantamiento.

Hay un dicho popular que dice: "dime con quién andas y te diré quién eres". Las personas con las cuales se siente bien y comparte más, son el mejor reflejo de cómo es usted en realidad.

III. ASUMA EL RETO DE GANAR A SUS AMIGOS

A. Muestre lo positivo que Dios ha hecho en usted

Hágalo dando buen testimonio con los de su casa, amigos y conocidos. Pablo aconseja:

> "Tú, pues, que enseñas a otro, ¿no te enseñas a ti mismo? Tú que predicas que no se ha de hurtar,¿hurtas?. Tú que te jactas de la ley ¿con infracción de la ley deshonras a Dios?. Porque como está escrito, el nombre de Dios es blasfemado entre los gentiles por causa de vosotros. "
> Romanos 2: 21,23-24.

Nada es más perjudicial para ganar a otros que decir una cosa y hacer otra, por eso usted debe hacer la diferencia en donde se encuentre; muestre una actitud de perdón, restituya el daño causado y deje que su vida refleje el amor de Dios.

B. Comparta con sabiduría

a. Evite asumir una actitud de condenación, mostrándose como el superespiritual y viendo a los demás como viles pecadores.

b. No use delante de ellos términos como: "Aleluya, gloria a Dios"; esto se escucha bien en la iglesia; pero para el que no conoce a Dios es fanatismo.

c. No comente él haber aprendido a hablar en lenguas o la liberación para los no cristianos esto será muy difícil de entender o aceptar.

d. No imponga a otros sus creencias o convicciones, pues el Espíritu Santo es el que convence de pecado, no usted.

e. Evite caer en discusiones y contiendas infructuosas que no acercan a la gente a Dios, sino que crean distancias.

C. Haga a sus amigos parte de la oración

La oración tiene poder para cambiar todas las cosas, por eso debe aprovecharla para ganar a sus amigos para el Señor; pues será mucho mejor tenerlos de su lado que en contra.

Un joven dado a una vida desordenada, cuando llegó de encuentro se deshizo de esta fama reflejando de inmediato su cambio. No se mostró aburrido, tenía una alegría permanente y no pasajera como la que deja algunos vicios. Simultáneamente, hizo a sus tres mejores amigos parte de su oración diaria y así los ganó para el Señor. Ahora, juntos sirven a Dios.

Siempre confíe en lo que dice **Santiago 5:16:"La oración eficaz del justo puede mucho"**. Y persevere, sólo así, podrá conquistar a sus amigos para Dios.

Aplique estas tres cosas y prepare su mente siendo consciente que usted tiene la respuesta para la necesidad del mundo, así al principio lo rechacen, no lo entiendan o acepten como usted anhela; será su perseverancia en pensar y actuar adecuadamente lo que hará firmes sus convicciones y sus propósitos. Pasado el tiempo los demás buscarán lo que usted tiene y podrá verlos, también a ellos, disfrutar de las bendiciones de vivir en Cristo.

"CONVIERTANSE ELLOS A TI,
Y TU NO TE CONVIERTAS A
ELLOS"
Jeremías 15:19

TALLER
VIDA SOCIAL

1. El Señor espera de ahora en adelante que usted:

a. Viva solo para no contaminarse
b. Tenga muchos amigos sin importar si le sirven o no
c. Que sea como sus "amigos" para que lo quieran
(d) Que tenga amigos pero que los sepa escoger

✓ 2. Ante los no creyentes debo actuar con _seguridad_ y _Convicción_ como lo hizo _Jesus_.

3. Usted actúa con convicción cuando:

a. Piensa que el ser cristiano es bueno, pero no tanto
b. A veces cree y a veces no
✗c. Esta plenamente convencido de haber tomado la decisión correcta
d. Va a la iglesia porque le dicen que vaya

RECUERDE:
SI USTED NO ESTA CONVENCIDO DE LO QUE CREE
¡¡¡ NO PODRA CONVENCER A OTROS!!!

4. Cristo nos dio ejemplo de actuar con convicción y serenidad en **Lucas 20:22-26**. Al leerlo podemos sacar las siguientes conclusiones:

✓ a. Le preguntaban, porque ¿realmente querían saber o por tentarle?

por tentarle por eso Jesus
les dejo: Mostrarme la moneda
¿de quién tiene la imagen y la
inscripción? dijeron: de cesar.
Jesus dijo dar a cesar lo que es de cesar y
a Dios lo que es de Dios.

48

b. ¿Qué hizo Jesús al saber sus intenciones?

    a. Se puso de mal genio
    b. Se fue y no los dejo hablar
    c. Les respondió sin alterarse, Él sabía que estaba en lo correcto

COMO A JESÚS, LA GENTE LE PREGUNTARÁ
CON EL ANIMO DE TENTARLE.
¡NO CAIGA EN SU TRAMPA!

5. Escriba **Romanos 10:11**

Porque la Escritura dice: todo aquel que en él creyere, no será avergonzado.

6. Complete en primera persona **1 Pedro 3: 15** (YO)

sino santificad al señor Dios en vuestros corazones, y estad siempre aparejados para responder con mansedumbre y reverencia a cada uno que os demande razón de la esperanza que ay en vosotros

7. ¿Cómo le demostró David a Dios que le amaba?. En **I Samuel 15: 24-30**

arriesga su vida al pelear contra el gigante goliat con el fin de devolverle la honra al nombre de Dios.

8. Según **Mateo 10:33**. Si yo niego a Jesús delante de los hombres que hará Él?

el me negara delante de su padre que esta en los cielos.

9. ¿Cúal es nuestra nueva posición en Cristo. Según **Mateo 5:14**

que somos luz del mundo que esta en la oscuridad

USTED TIENE EL PODER DE DIOS Y ESE PODER
OBRARÁ MILAGROS EN SU VIDA Y QUIENES
LE ATACABAN TERMINARAN ACEPTANDO
QUE NUESTRO DIOS ES REAL Y QUE SU DECISIÓN
FUE LA MÁS ACERTADA

10. ¿Qué aconseja el rey Salomón en Proverbios 1:10 y 15?

✓ hijo mío si los Pecadores te quisieren
engañar no consientas hijo mío,
no andes en caminos con ellas; aparta
tu pie de sus veredas

11. Es indispensable para crecer en mi vida cristiana tener amigos,¿cómo dice la Biblia que puedo ganarlos? Proverbios 18:24

✓ el hombre que tiene amigos ha de
mostrase amigo de ellas y despues
aprender a amarlas y valorarlas

12. Proverbios 13:20 Si usted quiere ser sabio debe:

✓ El que anda con sabios, sabio será;
más el que se junta con necios sera
quebrantado"
Por eso debo saber escojer mis
amistades que sean personas que
Buscan de Dios por medio de la
Oración   muy Bien .

Hna Evita no se le olvide
aprenderse textos de la
lección que sigue.

LA PALABRA: FUENTE DE VIDA

En cierta ocasión, un joven adquirió con gran esfuerzo, un boleto de tren para realizar el largo viaje que siempre había soñado.

Durante el viaje no comió casi nada, pues había gastado todo el dinero en el boleto, no creía que sus ingresos le permitirían pagar la cuenta del restaurante. El último día, ya sintiendo que no podía soportar más el hambre, acudió al comedor diciéndose a sí mismo: "Así tenga que pagar la cuenta lavando los platos, hoy voy a darme una gran cena".

Que sorpresa se llevó cuando le preguntó al mesero por la cuenta y él le dijo: No señor, usted no debe nada, su boleto incluye la alimentación de toda la travesía.

Así sucede muchas veces con nosotros, tenemos en nuestras manos la fuente de nuestra provisión y bendición; la Palabra de Dios. Fuente de vida y promesas, y sin embargo, hacemos lo del joven de la historia, vivimos sin disfrutar todo lo bueno que Dios tiene para nosotros; pues ignoramos la Palabra, sus promesas y bendiciones.

Debemos amar la Palabra y seguir sus indicaciones como lo hace el capitán de un barco con la brújula. Así aprenderemos a actuar con sabiduría y a sacar el mejor provecho de ella para nuestras vidas. La Biblia es el más grande de los tesoros, tiene la respuesta a todas nuestras necesidades, nos dice cómo manejar las finanzas, las relaciones con otras personas, la familia, los sentimientos y los problemas.
Josué 1:8 dice:

> Nunca se apartará de tu boca este libro de la ley, sino que de día y de noche meditarás en él, para que guades y hagas conforme a todo lo que en él esta escrito; Porque entonces harás prosperar tu camino y todo te saldrá bien".

Dios nos ha dejado la Palabra con un propósito, ser la guía de nuestro diario caminar, en las decisiones y en todos nuestros asuntos. El salmista dice:

> "Lámpara es a mis pies tu palabra,
> y lumbrera a mi camino"
> Salmo 119:105.

Dios inspiró a diferentes hombres en distintas épocas y en diferentes culturas para que por medio de su Palabra, es decir la Biblia, pudieramos conocerle y recibir sus promesas. Pero ¿Cómo hacer para entenderla, sacarle provecho, meditarla, practicarla, hacer prosperar mi camino y que todo me salga bien?

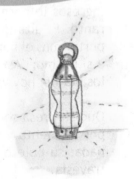

I. CÓMO ACERCARME A LA PALABRA

Para obtener de la Biblia el mejor provecho debo aprender a ir a ella:

A. Con la actitud correcta

Es decir con expectativa, esperando recibir el consejo del Ser más sabio de toda la creación. Consciente que este es el medio por el cual Dios habla a su amada, a su iglesia. Debo leerla con el mismo interés e insistencia que un enamorado lee la carta de su novia, leyéndola una y otra vez, tratando de encontrar qué dice entre líneas, qué me quiere hablar Dios.

Necesita pedirle a Dios que abra su entendimiento. Jesús lo hizo con sus discípulos, **Lucas 24:45** dice: "Les abrió el entendimiento para que comprendiesen las escrituras". Esto es fundamental para que la Palabra pueda afectar su vida; cuando su entendimiento se abre, la Palabra se hace luz, y puede entender cosas que tal vez ya conocía o había escuchado, pero que nunca le habían tocado realmente. Cuando la Palabra logra impactar su corazón, ella pasa a ser su fuente de vida, establece principios que empiezan a regirla, es parte de su andar diario, cambia su manera de pensar y de vivir.

B. Meditándola

La mejor manera de meditar la Palabra es haciéndole preguntas al texto que está leyendo. Puede preguntarse ¿Qué me enseña el pasaje?, ¿Cómo podría aplicar lo leído?, ¿Con qué personaje me identifico?, ¿Qué me quieres decir esto?, etc.

También le ayudará no leer simplemente el pasaje bíblico, hágase parte de la historia y pídale al Espíritu Santo que le ayude a vivirlo. Esto le dará vida a la lectura, dejará de ser letra muerta y muy seguramente le impulsará a orar con más fuerza y entrega.

Josué 1:8 dice "... **de día y de noche meditarás en él** ... " La invitación a meditar en el libro de la ley, la Palabra de Dios, es a hacerlo no un momento, sino de día y de noche. Es decir, que la Palabra esté presente en nuestras actividades diarias, que nos guíe y nos aliente. El Señor nos insta en este texto a confesarla continuamente pues dice: "Nunca se apartará de tu boca ..."

C. Con obediencia

El propósito de meditar la Palabra está plasmado en **Josué 1:8** cuando dice: "... **para que guardes y hagas conforme a todo lo que en él está escrito** ..."

El objetivo es aprender obediencia y que exista en nosotros un corazón sensible para hacer conforme Dios nos lo ha indicado. La idea no es recibir información, sino que la Palabra penetre en nuestro corazón, ejerza influencia y se vea reflejada en nuestra manera de vivir.

Santiago lo explica así:

> "Pero sed hacedores de la Palabra,
> y no tan solo oidores, engañándoos
> a vosotros mismos".
> Santiago 1:22

D. Con un corazón moldeable

Un corazón moldeable es aquel que se deja enseñar, sin auto-suficiencia, que sabe el valor de la Biblia y cómo de ella nunca se dejará de aprender. El **Salmo 119:96** dice:

> "A toda perfección he visto fin;
> Amplio sobremanera
> es tu mandamiento"

Apéguese a la Palabra y cada día cuando se acerque a ella, pídale a Dios que haga su corazón como buena tierra, capaz de recibir la semilla y dar fruto al treinta, al sesenta y al ciento por uno.

II. CÓMO ESTUDIAR LA PALABRA

Todos, cuando nos acercamos a Dios, anhelamos que Él nos hable de manera personal y directa. Es increíble saber que Él está interesado en nosotros, pues nos ama y anhela. **Juan 14:21** dice:

> "El que tiene mis mandamientos, y los guarda, ese es el que
> me ama; y el que me ama será amado por mi Padre,
> y yo le amaré, me manifestaré a él".

Al realizar el estudio de la Palabra, el lugar, el ambiente y el momento juegan un papel fundamental, por eso tenga en cuenta las siguientes sugerencias:

A. Escoja un lugar determinado

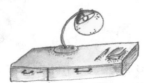

En lo posible frente a un escritorio, le ayudará en la concentración. No escoja la cama cuando está cansado, como el sitio para estudiar, porque lo más seguro es que se quede en buenas intenciones y usted termine profundamente dormido.

B. Adquiera un cuaderno y conviértalo en su diario devocional.

El hacerlo le permitirá tomar nota de aquellas cosas que Dios le hable y repasarlas cuando lo necesite. Además, le ayudará a evaluar su progreso y hará que capte lo aprendido, pues escribir hace más fácil recordar lo leído.

C. Establezca un hábito de estudio

De acuerdo a su agrado y preferencia decida cómo va a abordar la Palabra diariamente, hágalo de manera que se vuelva un hábito en su vida. Puede hacerlo determinando la cantidad de tiempo que le va dedicar a diario o estableciendo cuantos capítulos va a estudiar cada día.

D. Haga su diario devocional

Muchos tienen ganas de estudiar la Palabra y sacar de ella el mejor provecho, pero por no tener un método de estudio todo se queda en intenciones.

Por esta razón, recomendamos el método sugerido por Tim La Haye en su libro: "Como estudiar la Biblia por sí mismo" el cual consiste en encontrar en el pasaje a estudiar los siguientes aspectos:

Mensaje de Dios para hoy

Es lo que más le haya impactado de lo leído.

Promesa de Dios para mi vida

Es una bendición, algo que Dios promete darnos.
Por ejemplo:
"Y cualquiera cosa que pidiéramos la recibiremos de el, porque guardamos sus mandamientos, y hacemos las cosas que son agradables delante de él". 1 Juan:3:22.
La promesa es: "Y cualquiera cosa que pidiéramos larecibiremos de él".

Mandamiento a obedecer

Generalmente la promesa tiene condiciones para su cumplimiento y esta puede ser el mandamiento a obedecer. En el texto anterior sería: "Porque guardamos sus mandamientos, y hacemos las cosas que son agradables delante de él". También, puede ser otro texto en donde el Señor le haya mostrado qué necesita cambiar.

Aplicación personal

De acuerdo a las cosas que Dios le muestre tiene que cambiar, establezca un plan específico de cómo lo va a hacer y trace la forma de realizarlo.

Si el estudio de la Palabra no produce un cambio en usted, realmente no la estudió. Es necesario que después de estudiarla se haga viva en su manera de vivir.

Con este método de estudio bíblico usted podrá comprobar cuanto avanza cada día, volver a sus notas cada vez que le sea necesario, repasar lo aprendido e ir a la palabra con intención de recibir algo. Lo más recomendable es iniciar leyendo el nuevo testamento por lo menos dos veces antes de pasar al antiguo testamento.

III. BENEFICIOS DE ACERCARME A LA PALABRA

A. Nos permite vencer el pecado

Cuando la Palabra de Dios está atesorada en nuestro corazón tenemos a donde acudir cuando la tentación llama a la puerta, el Espíritu Santo puede recordarnos la palabra específica que nos dará la victoria. Jesús la usó y venció las tres veces en que Satanás lo tentó diciendo: **"Escrito está"** Lucas 4:4,8,10.

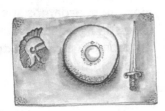

Además, el salmista lo confirma en el **Salmo 119:11** cuando dice: **"En mi corazón he guardado tus dichos, para no pecar contra ti."**

B. Nos Capacita para enfrentar errores doctrinales

Tito lo explica así:

"Retenedor de la palabra fiel tal como ha sido enseñada, para que también pueda exhortar con sana enseñanza y convencer a los que contradicen."
Tito 1:9

C. Nos sirve en la guerra espiritual

Como espada la Biblia sirve para defensa y para ataque. Con versículos bíblicos podemos enfrentar al enemigo y ordenarle suelte nuestras vidas, finanzas, familias, mente o emociones. **Efesios 6:17** enseña:

"Y tomad el yelmo de la salvación, y la espada del Espíritu, que es la Palabra de Dios"

D. Nos da poder en la oración

Jesús nos dió la promesa que si la Palabra permanece en nosotros obtendremos la respuesta en todo lo que pidamos.

"Si permanecéis en mi, y mis palabras permanecen en vosotros, pedid todo lo que queréis, y os será hecho".
Juan 15:7

E. Nos da la seguridad de ser salvos

Cuando se empieza a caminar con Cristo una de las armas predilectas de Satanás es hacernos dudar de nuestra salvación, traer culpa a nuestras vidas y llevarnos a creer que Dios se fue, no está y que no somos merecedores de su perdón; por eso el Señor nos alienta en **1Juan 5:13** diciendo:

"Estas cosas os han escrito a vosotros que creéis en el nombre del Hijo de Dios, para que sepáis que tenéis vida eterna, y para que creáis en el nombre del hijo de Dios".

F. Nos da paz en medio de la aflicción

Cuando las circunstancias son adversas, nuestro sustento es la Palabra guardada en nuestros corazones y las promesas bíblicas recibidas de parte de Dios. El Señor alentó así a sus discípulos diciéndoles:

"Estas cosas os he hablado
para que en mí tengáis paz.
En el mundo tendréis aflicción:
pero confiad, yo he vencido al mundo.
Juan 16:33.

G. Nos capacita para exteriorizar nuestra fe

Pedro nos exhorta a prepararnos lo suficiente, para poder defendernos de aquellos que quieren ridiculizar el evangelio, así como de quienes simplemente quieren saber más.
La forma correcta es preparándonos para explicar nuestra fe o confrontar cualquier ataque cuando sea necesario.

"Santificad a Dios el Señor en nuestros corazones,y estad
siempre preparados para presentar defensa con
mansedumbre y reverencia ante todo al que demande
razón de la esperanza que hay en vosotros".
1 Pedro 3:15

H. Nos orienta en las decisiones de la vida

El acercarse a la Palabra le estará preparando para enfrentar la vida con sabiduría, Dios le instruirá sobre cómo orientar cada decisión de su vida: Relaciones familiares, negocios, sentimientos, amistades, etc.

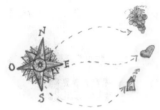

Por eso el salmista afirma:

"Lámpara es a mis pies tu palabra
y lumbrera a mi camino".
Salmo 119:105.

I. Nos garantiza una vida de éxito

Josué 1:8 explica: El que medita en la palabra y la guarda, hará prosperar su camino y todo le saldrá bien. Todo lo que realice tendrá el sello del éxito porque Dios le prosperará en todo lo que haga.

Siempre termine su tiempo de lectura y meditación de la palabra orando, pidiéndole a Dios que le enseñe como aplicar lo aprendido durante el estudio bíblico y clamándole perdone cualquier pecado que haya cometido. Pídale también que Él tenga el control de cada área de su vida. Así, sin duda alcanzará el éxito y todo lo que emprenda le saldrá bien.

«SOLO TU PALABRA
TIENE PERFECCIÓN.
¡OH CUÁNTO LA AMO!
PIENSO EN ELLA
TODO EL DÍA»
Salmos 119:96-97

TALLER
LA PALABRA FUENTE DE VIDA

1. La Palabra es fuente de vida y de promesas; sin embargo, muchas veces la desaprovechamos. Miremos qué nos dice la Biblia acerca de su importancia.

Complete y memorice:

a. Josué 1: 8 "_Nunca_ se _apartara_, de tu _boca_ este _libro_ de la _ley_, sino que de _dia_ y de _noche_ _meditaras_ en él, para que guardes y _agas_ conforme en él está escrito; porque entonces harás _prospera_ _____ tu _camino_ y _todo_ te saldrá _bien_."

b. Salmo 119:105 "_lampara_ es a mis pies _tu_ _Palabra_ y _lumbrera_ a mi _camino_."

2. Según Josué 1 :8 qué quiere el Señor que hagamos con su Palabra:

a. No A _nunca apartarme_ de ella.
b. M _meditare_
c. G_guardare_ y H _are_ lo que en ella está escrito.

RECUERDE:
LA PALABRA MEDITADA, GUARDADA
Y PUESTA POR OBRA EN NUESTRAS
VIDAS NOS DARÁ EL ÉXITO.

3. Para disfrutar todo lo que la Palabra tiene para mí, debo acercarme a ella:

a. _debo leerla escudriñarla memorisala_
b. _debo Retenerla en mi corazón._
c. _la Palabra me sirve para vencer al enemigo_
de mi alma d. _si permaneseo en la palabra puedo pedir confiada en que el señor me dara lo que Nesito. para seguir el camino de mi señor Jesucristo._

4. Explique con sus propias palabras qué significa "ir" con la actitud correcta"

tengo que aser lo que la palabra de Dios me indica seguir el ejemplo que cristo nos dio y guardar en mi corazón su palabra y ponerla por obra

5. Relacione estos tres aspectos que hay en la columna de la izquierda con la columna de la derecha y sabrá tres cosas que le conducirán con éxito al leer la Palabra.

a. Que se haga luz para mi vida y descubra una Palabra que me toque de tal manera que establezca principios en mi manera de pensar y de vivir.

Corazón moldeable

b. Que la ponga por obra, que influya en mí, viéndose reflejada en la manera de vivir.

Meditación

c. Acercarme sin autosuficiencia, entendiendo que cada día tiene algo que enseñarme y disponiéndome para que dé fruto mi vida.

Obediencia

6. Para estudiar la Biblia hay cuatro principios importantes. ¿Cuáles son?.

a. *Con un corazón moldeado*
b. *meditando en lo que lea*
c. *siendo obediente a lo que Dios me manda*
d. *Buscando la ayuda de Dios por medio de la oración*

7. Con base en lo aprendido sobre cómo hacer un diario devocional, tome **1 Juan:1** y descubra:

a. El mensaje de Dios *pere lo que hemos oído y hemos visto lo pongamos por obra.*

b. Promesa para mi vida *Dios me Responderá cuando yo clame a el el me Responde*

c. Mandamiento para obedecer *tengo que guardar su palabra y obedecerla y ponerla por obra*

d. Aplicación personal *la palabra es luz en mi camino y puedo ten o comunión con mis hermanos puedo tener paz gozo y esperanza en el*

LA BIBLIA OFRECE MULTIPLES BENEFICIOS CUANDO NOS ACERCAMOS A ELLA:

8. ¿A qué insta Pablo a Tito en **Tito: 1:9**? y ¿para qué?.

Retenedor de la fiel Palabra que es conforme a la doctrina; para que también pueda exhortar con sana Doctrina, y convencer a los que contradijeren.

9. Según **Efesios 6:17**. ¿Para qué sirve la Palabra y cómo puedo usarla?.

y tomando el yelmo de salud, y la espada del Espíritu; que es la palabra de Dios

10. ¿Qué debo hacer para tener poder en la oración?. Según **Juan 15:7.**

si estoy en la palabra y la palabra esta en mi corazón todo lo que pidiere en el nombre de Jesus sera hecho.

11. Cuando empezamos a caminar con Cristo vienen luchas para hacernos dudar de nuestra salvación; pero **1 Juan 5:13** nos enseña:

en esto conocemos que estamos en el, y el en nosotros, en que nos ha dado de su Espíritu.

SEXUALIDAD

Dios quiere que todos los hombres sean felices, nos dio la capacidad de amar y ser amados y estableció algunosprincipios para que este deseo se hiciera realidad.

Pero muchos en su afán de conseguir ese amor caen en relaciones sexuales ilícitas y éstas, en lugar de ser una bendición, como Dios quiere, se convierten en un suplicio que roba la paz, quita el sueño y deja a muchos con el corazón destrozado.

Dios conoce las consecuencias que traen las relaciones sexuales fuera del matrimonio y es el más interesado en que usted entienda su propósito y decida esperar el tiempo del Señor. El le traerá la persona idónea, la que le hará feliz y cumplirá con usted su propósito.

I. EL SEXO CREACION DE DIOS

Dios creó al hombre y lo colocó sobre toda la creación. Sin embargo, en toda ella no halló ayuda idónea para Adán, **" Y puso Adán nombre a toda bestia y ave de los cielos y a todo ganado del campo; mas para Adán no se halló ayuda idónea"**. **Génesis 2:20;** entonces, Dios tomó una de las costillas del hombre y creó a la mujer.

> "Dijo entonces Adán: Esto es ahora hueso de mis huesos y carne de mi carne; ésta será llamada Varona, porque del varón fue tomada".
> Génesis 2:23.

Los estudiosos del hebreo afirman que estas palabras plasman una gran emoción, regocijo y asombro, lo cual es muy factible pues qué otra cosa pudo sentir Adán, si hasta entonces lo único que había visto era animales. Cuando se encontró con la mujer, tan similar y a la vez tan distinta, dijo: "es hueso de mi hueso y carne de mi carne", expresando la satisfacción que sintió al comprender cómo ella era el complemento perfecto, justo lo que necesitaba.

Entonces, Dios celebra la primera boda y los une como pareja. **Génesis 2:24:**

> "Por tanto, dejará el hombre a su padre y a su madre, y se unirá a su mujer, y serán una sola carne".

La última parte del versículo " y serán una sola carne" hace referencia a la unión física, íntima de la pareja, el aspecto sexual. Este no incluye vergüenza; por el contrario, refleja la libertad de conocerse sin inhibiciones.

> "Y estaban ambos desnudos
> Adán y su mujer,
> y no se avergonzaban".
> Génesis 2:25.

Dios ve el sexo con naturalidad y le agrada que se realice bajo sus parámetros. El se deleita del amor honesto y pleno en la pareja. Cantares es una expresión del amor de los esposos y un reflejo de cómo Dios quiere que sea el matrimonio en la intimidad.

Desde el principio ha existido la afinidad y la atracción mutua entre uno y otro sexo. Dentro de los parámetros de Dios no estaban las relaciones entre el mismo sexo pues de ser así, no le hubiera dado a Adán una Eva, sino otro Adán. Este tipo de relaciones es el fruto de olvidarse de Dios, de hacerse sabio en su propia opinión y entregarse a aquello que no agrada al Señor.

> "... y de igual modo también los hombres, dejando el uso natural de la mujer, se encendieron en su lascivia unos con otros, cometiendo hechos vergonzosos hombres con hombres, y recibiendo en sí mismos la retribución debida a su extravío"
> Romanos 1:27

Estas y otras prácticas han surgido como resultado de lo anterior. Se han cambiado los parámetros dados por Dios y se ve el sexo sólo como un placer que hay que aprovecharlo con quién pueda y cuándo se pueda, o de lo contrario, se pasará de tonto.

Algunas jóvenes usan el sexo para asegurar a su pareja para que no se vaya, estos engaños dejan al final una profunda sensación de soledad, un vacío interior, conflictos emocionales, enfermedades venéreas, embarazos inesperados, matrimonios forzados, entre otros.

II. PORQUÉ ESPERAR Y NO CEDER A LAS RELACIONES SEXUALES FUERA DEL MATRIMONIO

Aunque el sexo fue creado con un buen propósito por el mismo Dios, la sociedad se ha encargado de denigrarlo, ensuciarlo y tergiversarlo. Además de crear presión a través de los medios de comunicación; la televisión, las revistas, la radio y ahora el teléfono, sirven para llevar a las personas al sexo ilícito.

Las estrategias varían, van desde desnudos, programas con escenas de sexo e imágenes que ponen a volar la imaginación, hasta propagandas con invitaciones sugestivas en donde se incita a practicar el sexo antes del matrimonio.

Las relaciones prematrimoniales se muestran como lo más natural y se justifica el adulterio, pues la otra persona no le satisface o ya perdió su encanto.

Muchos se dejan enredar por relaciones sexuales ilícitas sin pensar en las siguientes consecuencias:

A. Pecamos ante Dios.
B. Complejos de culpa.
C. Trae consecuencias negativas sobre su vida.

A. Pecamos ante Dios

Cuando cedemos a relaciones sexuales fuera del matrimonio estamos pecando delante de Dios.
La Palabra dice en **1 Corintios 6:13:**

> "... pero el cuerpo no es para la fornicación, sino para el Señor, y el Señor para el cuerpo".
> 1 Corintios 6:13

Todo pecado cometido con el cuerpo es contra el Señor y esto incluye la fornicación, el adulterio, los afeminados y los que se acuestan con varones, ninguno de los que práctican estos pecados heredará la vida eterna y así lo explica los versículos nueve y diez del mismo capítulo.

Desde el mismo momento en que abrimos nuestro corazón al Señor, el Espíritu Santo viene hacer morada en nuestras vidas. **Juan 14:17** nos enseña:

> " El Espíritu de Verdad, al cual el mundo no puede recibir, porque no le ve, ni le conoce; pero vosotros le conocéis, porque mora con vosotros, y estará en vosotros."

Al estar en nosotros, nuestro cuerpo pasa a ser su templo y si practicamos pecados sexuales afrentamos el templo del Espíritu Santo.

Cuando se cae en pecados vergonzosos se cumple lo dicho por Salomón:

> "Las aguas hurtadas son dulces, y el pan comido en oculto es sabroso. Y no saben que allí están los muertos; que sus convidados están en lo profundo del Seol. "
> Proverbios 9: 17-18.

Pecamos contra Dios y cedemos por creer lo que otros nos dicen: ¡No sabes lo que te estás perdiendo! o ¡No estás en nada!. Muchos han caído tratando de estar a tono con sus amigos, para probar lo que le decían. La vida sexual activa y fuera de la voluntad de Dios quita la paz y crea una sensación de inseguridad respecto a Dios y viene acompañada de muchos temores a lo que pueda pasar.

B. Complejo de culpa

El pecado siempre se muestra placentero y agradable a la vista, incluso, enreda a muchos haciéndoles creer que no pasará a mayores, que sabrán detenerse a tiempo. Así, muchos se envuelven en el mundo de la pornografía terminando con serios problemas de culpa, esclavos o adictos a este tipo de prácticas, con baja autoestima e incapaces de sostener una buena relación sentimental con personas del sexo opuesto.

Leí sobre el caso de un hombre que encontró una revista pornográfica en un basurero. La recogió y la observó, y desde entonces se convirtió en un adicto a la pornografía. Como era tímido le parecía más sencillo practicar la masturbación que conquistar una joven para entablar relación con ella; pero como nuestra naturaleza pecaminosa no se sacia, sino siempre quiere más, empezó a violar jovencitas y mujeres para luego asesinarlas. Finalmente, lo apresaron después de haber matado a diecisiete de ellas.

Este caso refleja cómo el pecado puede entrar sutilmente a nuestras vidas, y después de darle rienda suelta nos esclaviza hasta llevarnos a hacer cosas terribles. Quizás usted esté pensando: ¡Yo nunca llegaré a tales extremos!, ¡No tengo corazón para ser tan malo! ; sin embargo muchas personas han llegado a practicar, directa o indirectamente, el homicidio por medio del aborto.

El aborto es tan homicidio como el caso anterior. Muchos justifican su crimen diciendo que el feto es solamente una masa deforme, el salmista expresa:

> "Mi embrión vieron tus ojos, y en tu libro estaban escritas todas aquellas cosas sin faltar una de ellas"
> Salmo 139:16.

Desde el mismo momento de la concepción somos una criatura creada por Dios y tenemos contacto con el creador quien nos dió vida. No puede practicar el aborto ni ser cómplice de él, no tiene derecho a decidir sobre la vida de una persona que no puede defenderse. Si lo hace traerá maldición a su vida y se cumplirá **Proverbios 14:12 :**

> "Hay camino que al hombre le parece derecho; pero su fin es camino de muerte".

Sentirá una profunda tristeza cuando compruebes que "sí" era una vida y no puede hacer nada para cambiar las cosas. Sentirá dolor cuando vea un niño y piense en la edad que tendría el suyo o cómo podría ser si estuviera vivo. Los que promueven estas prácticas nunca le dirán las consecuencias; pero quienes han caído en ella saben que son reales y dolorosas.

Naturalmente, todos los pecados sexuales dejan complejos de culpa, vergüenza y la sensación de no ser lo que los demás creen.

Muchos piensan que ya no son dignos de ser amados, se vuelven posesivos en las relaciones sentimentales y terminan mendigando amor y aceptando el maltrato físico, sexual y emocional. Algunos se conforman con ser el "otro" en una relación para mantenerla.

C. Trae consecuencias negativas sobre su vida

Lo más doloroso del pecado sexual son las consecuencias que deja en la vida de quienes lo practican, consecuencias que pueden afectarles el resto de sus vidas. Sin embargo, muchos han caído en el momento menos esperado. David, Rey de Israel es un claro ejemplo de ello. Un día se encontraba paseando por la terraza de su palacio cuando vio a una mujer muy hermosa que se estaba bañando.
Sin importarle si era casada o no, la tomó para sí y se allegó a ella quedando de esa relación un embarazo.

David seguramente obedeció a sus impulsos masculinos, dirán algunos; pero creo lo hizo por darle libertad a su mente por divagar e imaginar cualquier cantidad de cosas. Además, contribuyó su ociosidad, pues en lugar de ir a la guerra con su gente, estaba perdiendo el tiempo.

Podemos deducir que el ocio no es buen consejero y abre la puerta para poner en nuestra mente cosas que no convienen y que una vez concebidas en nuestro interior nos llevan a pecar y a la muerte espiritual.

Así lo enseña Santiago cuando afirma:

> "Si no que cada uno es tentado, cuando de su propia concupiscencia es atraído y seducido. Entonces la concupiscencia, después que ha concebido, da a luz el pecado; y el pecado siendo consumado, da a luz la muerte."
> Santiago 1: 14-15

Pero la aventura de David con Betsabé, esposa de Urías, uno de sus hombres de guerra no termina ahí.

Cuando el Rey se entera del embarazo de Betsabé, hace llamar a su esposo y realiza todo lo que está a su alcance para enviarlo a dormir con su esposa y tapar su falta. Urías no fue a su casa, pues sus compañeros y el pueblo estaban en guerra.

La responsabilidad de Urías puso en problemas a David quien vio como la salida más fácil enviar una carta por medio de Urías a Joab, General de su ejército, para que en lo más recio de la batalla, lo dejaran solo, fuera herido y muriera.

La orden de David fue acatada, Urías murió en el frente de batalla. Luego, Betsabé fue traída al palacio y después de pasar el luto por su esposo, David la tomo por mujer y ella le dio un hijo.

Pasó aproximadamente un año entre el embarazo de Betsabé y el nacimiento de su bebé. Dios esperó todo ese tiempo para que David se arrepintiera y confesara su pecado; pero como no lo hizo su pecado lo alcanzó.

Dios envió a Natán para confrontar a David con su pecado. El profeta le presentó el caso de un hombre muy rico, con muchas ovejas que cuando recibió una visita quiso atenderla, y para hacerlo tomó la única oveja de su vecino. Tomó la única, la que había crecido con sus hijos, comía de su plato y dormía en su seno, **(2 Samuel 12: 4)**. Cuando David oyó el caso se encendió en furor contra aquel hombre y dijo a Natán: "...Vive Jehová, que el que tal hizo es digno de muerte.Y debe pagar la cordera con cuatro tantos, porque hizo tal cosa, y no tuvo misericordia". **2 Samuel 12:5-6**

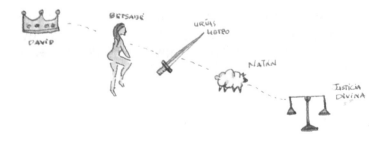

Cuando David dio su juicio el profeta le dice: "ese hombre eres tú". Natán con Palabra profética comenzó a recordarle cómo Dios lo llamó, prosperó y ungió Rey. Y si todo eso hubiese sido poco, el Señor le hubiera dado más. Entonces,Dios muestra las consecuencias para David.

Primero, le dice que por cuanto mató a Urías y tomó su mujer, la espada no se apartará de su casa; luego, le dice que sus mujeres serán dadas a su prójimo, pues lo que él hizo en secreto será hecho públicamente y por último, el hijo de esa relación morirá. **2 Samuel 12:14.**

Si David hubiera determinado su propio juicio habría muerto, pero Dios fue benévolo y le dio otra oportunidad. Sin embargo, él vivió con dolor las consecuencias de su pecado.

Lo primero que enfrentó fue saber que su hijo moriría. Esto causó dolor y angustia a su corazón, dejó de comer, no se bañó ni se cambió de ropa. Se postró en tierra y se humilló delante de Dios; pero los días pasaron y el niño falleció. Al poco tiempo, Dios lo consoló dándole otro hijo, el Rey Salomón.

Después, sufrió al ver que las consecuencias de su pasado las vivieron sus hijos. David vivió en su casa el pecado sexual y la violencia. Uno de sus hijos violó a su hermana Tamar y luego, Absalón, otro de sus hijos, para vengar la afrenta hecha a Tamar mandó matar a su hermano Amón quien la atropelló sexualmente.

La rebelión posterior de Absalón por quitarle el reino le causó tanta angustia a David que:" subió la cuesta de los Olivos llorando, llevando la cabeza cubierta y los piés descalzos" **2 Samuel 15:30.**

Mientras David huía, su hijo Absalón se allegaba a sus diez concubinas delante de los ojos de todo Israel. **2 Samuel 16:22.**

Estos hechos muestran un cuadro muy doloroso de la vida de David como consecuencia de su pecado.
Proverbios 26:2 dice:

"La maldición nunca viene sin causa".

El pecado más que un momento de debilidad, es una red que atrapa y lleva destrucción a quienes caen en ella.

Actualmente, muchos jóvenes viven las consecuencias con enfermedades venéreas como el Herpes, la Sífilis o el mismo SIDA. Algunas de estas enfermedades son incurables y con efectos en la descendencia. Es triste ver cómo niños nacen contagiados de estas enfermedades como fruto del pasado de sus padres.

Algunos, por ceder en relaciones sexuales fuera del matrimonio caen en la explotación sexual y son afectados emocional y físicamente. Otros, entran en el mundo de la prostitución y atan sus vidas con las maldiciones de estas personas, pues se han hecho una sola carne con ellas.

Las heridas, la vergüenza, la amargura por sentirse usado y no amado, el resentimiento y los complejos de culpa, son algunas de las consecuencias de una vida sexual promiscua.

III. ¿CÓMO EVITAR LAS RELACIONES SEXUALES ILÍCITAS?

Nada mejor para evitar la caída que ser consciente de las consecuencias. Sin embargo, es necesario tomar medidas adecuadas para que cuando venga la presión sexual pueda salir victorioso.

A. Fortalezca su relación con Dios

La caída no se da porque un día amanecí con la naturaleza carnal fuera de control, comienza con pequeñas concesiones que abren la puerta a la tentación y posteriormente, al pecado. Se puede empezar de diferentes maneras y en esto influye la naturaleza de aquel que está siendo tentado.

En el caso del hombre, lo más susceptible es la vista, el Señor dijo:

> "Oísteis que fue dicho: No cometerás adulterio.Pero yo os digo que cualquiera que mira una mujerpara codiciarla, ya adulteró con ella en su corazón".
> Mateo 5: 27-28

El pecado inicia cuando se mira con codicia, algunos dicen la primera mirada no tiene problema; pero la segunda sí, pues ya va cargada de codicia.

En la mujer, su parte más sensible es lo que escucha.
Si ella permite halagos o palabras bonitas de personas que de antemano, sabe no le convienen porque son casadas, tienen otro compromiso o llevan una vida disoluta, va a tener problemas. Fácilmente puede enredarse en una relación tormentosa con consecuencias negativas para su vida.

La mejor manera para evitar la caída es cuidando mi relación con Dios, fortaleciendo mi vida de oración y mi dependencia de la Palabra.

Un buen inicio es reconocer nuestros pecados anteriores y nuestra propia debilidad y hacer lo que hizo David para obtener perdón de Dios:

> "Mi pecado te declaré y no encubrí mi iniquidad.
> Dije: Confesaré mis transgresiones a Jehová y
> tu perdonaste mi pecado".
> Salmo 32:5.

Debemos hacer una declaración minuciosa a Dios de cada pecado, hasta sentir su perdón y la limpieza que trae la sangre de Cristo, sólo así seremos libres de la maldición que estos traen.

De la misma manera debe hacer si está pasando por tentación, si busca a Dios, él le dará la salida para soportar.

> "No os ha sobrevenido ninguna tentación que no sea humana; pero fiel es Dios, que no os dejara ser tentados más de lo que podéis resistir, sino que dará también juntamente con la tentación la salida, para que podáis soportar"
> 1 Corintios 10:13.

Determine pasar tiempo a diario en oración y estudiando la Palabra, no permita que se pase un día sin haber hablado con Dios y oído su consejo. Pero por si alguna circunstancia falla, pídale perdón a Dios, confiese su falta y continúe adelante. Esto guardará su vida de caídas y traerá convicciones profundas que le permitirán prevalecer en todo tiempo.

B. Prepárese para enfrentar la tentación

La tentación llega en el momento menos esperado y de la forma más inusual, por esto es sabio tomar precauciones para que no nos tomen por sorpresa. Entre las formas más frecuentes como suele aparecer están las famosas frases o insinuaciones usadas por quienes quieren hacernos ceder a caricias, juegos sexuales o la misma relación sexual.

Frases como: ¡ Si de verdad me amas, acuéstate conmigo!, ¡Si tú no estás conmigo otra persona lo hará!, ¡Si eres hombre, demuéstramelo!, ¡Todos lo hacen! o ¡Si quieres volver a verme, debes tener intimidad conmigo!; sirven para presionarlo a tener a relaciones sexuales sin compromiso. Usted debe actuar sabiamente, prepárese para hacer frente a este tipo de situaciones.

Es tiempo de brillar como hijos de Dios. Hagamos la diferencia y demostrémosle al mundo que sí podemos ser felices sin prostituirnos, podemos serlo con nuestro esposo o esposa, guardando nuestros cuerpos para quien va a ser nuestro compañero el resto de nuestras vidas, formando hogares que cumplan con el propósito divino y reflejen el amor y la satisfacción de hacer las cosas como agradan a Dios.

«PORQUE EL PECADO NO SE ENSEÑOREARÁ DE VOSOTROS...»
Romanos 6:14

TALLER
SEXUALIDAD

1. ¿Quién celebró el primer matrimonio?
Génesis 2:24. _Dios_

2. Cuando **Génesis 2:23** dice "Y serán una sola carne" ¿a qué se refiere?

la unión física íntima de la pareja en el aspecto sexual.

3. ¿Cuáles son las consecuencias de enredarse en relaciones sexuales ilícitas?

a. _el embarazo no deseado_
b. _conflictos emocionales_
c. _enfermedades venéreas,_
d. _matrimonios forzados,_

4. ¿Qué enseña **1 Corintios 6:13** acerca del uso del cuerpo?

el cuerpo no es para la fornicación sino para el señor

5. ¿Qué pasará según **1Corintios 6:9-10**, con los que practican el pecado?

que no heredarán el Reino de Dios

6. ¿Cuándo afrentamos al Espíritu Santo y porqué?. Según **Juan 14:17**.

cuando practicamos pecados sexuales Porque el Espíritu santo esta en nosotros y nuestro cuerpo templo del Espíritu santo es

7. Analice **Proverbios 9:17-18** y responda las siguientes preguntas con sus propias palabras:

a. ¿Cuáles serían las aguas hurtadas y el pan comido en lo oculto?

Pecado de fornicación y adulterio

b. ¿Dónde están sus convidados?

en las profundas de la sepultura

8. Completa:
La vida sexual ilícita , quita _la Paz_ y crea una _Vida_
de_Remordimiento_respecto a Dios y viene acompañada de muchos
Problemas a lo que pueda pasar.

9. El pecado siempre se muestra:

(a.) Placentero   b. Despreciable   c. Desagradable

10. ¿El aborto es una forma de homicidio. En qué versículo encontramos que el feto es un ser humano que tiene vida?

_mi embrión vieron tus hojos, y en
tu libro estaban escritas todas las
aquellas cosas que fueron luego formadas,
sin faltar ni una de ellas._
salmo 139:16 (cita bíblica).

RECUERDA:
LOS PECADOS SEXUALES DEJAN COMPLEJOS DE
CULPA, VERGÜENZA Y LA AUTOESTIMA LASTIMADA.

11. Qué le dice el Profeta a David, que vendrá a su vida como consecuencia de su pecado sexual. Según **2 Samuel 12: 5-6.**

a. _que la espada no se apartara de su casa;_
b. _que sus mujeres seran dadas a su projimo,_
c. _Pues loque el hizo en secreto sera hecho publica_
d. _y el hijo de esa Relación morira._

80

12. ¿Qué debemos hacer para salir victorioso cuando viene la presión sexual?

a. _cuidando mi Relación con Dios_
b. _fortaleciendo mi vida de oración y mi dependencia de la palabra._

RECUERDA:
LA CAÍDA NO SE DA POR UNA NATURALEZA CARNALFUERA DE
CONTROL, SINO POR PEQUEÑAS CONCESIONES QUE ABREN
LA PUERTA A LA TENTACIÓN Y POSTERIORMENTE AL PECADO.

13. ¿Cuál es un buen inicio para evitar la caída y fortalecer mi relación con Dios?

No poner atención a palabras bonitas y desonestas porque las consecuencias son malos y ay que tomar medida adecuada

14. ¿Cómo podemos ser libres de la maldición de los pecados sexuales?

Confesarlas a Dios para que nos perdone.

15. ¿Se puede resistir la tentación? (Si) o No. **1 Corintios 10:13**.

no os ha tomado tentación, sino humana; mas fiel es Dios, que no os dejará ser tentados más de lo que podéis llevar; antes dará también juntamente con la tentación la salida para que podáis aguantar

81

LA IGLESIA: REFUGIO DE DIOS

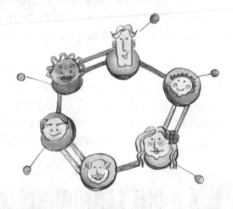

"No dejando de congregarnos, como algunos tienen por costumbre, sino exhortándonos; y tanto más, cuando véis que aquel día se acerca".
Hebreos 10:25

Cuando aceptamos a Jesús como Señor y Salvador pasamos a formar parte de la familia de Dios. El quiere ofrecernos un refugio en donde pueda brindarnos protección, cuidado y fuerza para vivir conforme a su propósito; así como corrección, orientación y disciplina.

La familia de Dios nos da nuevos hermanos en la fe, quienes comparten con nosotros sus metas de seguir a Cristo y ser fieles a Dios. Ellos nos van a resguardar para no desmayar y no volver atrás, como sucedería si tratamos de vivir el cristianismo independientes, solos, creyendo que con oír la emisora cristiana o viendo videos por televisión, es suficiente para sobrevivir como hijos de Dios.

Así como el leño encendido necesita de la hoguera para permanecer avivado; nosotros necesitamos de nuestros hermanos en la fe para continuar en el camino que hemos escogido.Un leño, por más prendido que esté, no podrá permanecer encendido si se separa del calor y de la protección que le dan los otros leños. Corre el peligro de apagarse con el viento o la brisa. Ningún creyente, por firme que haya sido su decisión por Cristo, prevalecerá sin la ayuda y protección de otros creyentes, los necesita para permanecer fiel en medio del viento, la prueba, la dificultad o la oposición.

Cuando nos unimos a la iglesia cumplimos con lo establecido por el Señor: **"no dejar de congregarnos" Hebreos 10:25**, cuando nos congregamos con otros cristianos en oración y adoración, nuestra vida se prende con más fuerza hasta ser una antorcha encendida que arde en las manos de Cristo.

I. ¿ A QUÉ LLAMAMOS IGLESIA?

Llamamos iglesia a la reunión de todos aquellos que han hecho su decisión por Cristo, y han aceptado el poder redentor de su sangre. La iglesia está compuesta por todos los cristianos que en el mundo entero han dado este paso de fe.

Sin embargo, como es imposible reunir a todos en un solo lugar, la iglesia se ha esparcido en diferentes sitios formando iglesias locales, dentro de las que se incluye, naturalmente, aquella a la cual asistimos.

El término iglesia quiere decir literalmente: "Asamblea de llamados".Por eso, los llamados son los ceyentes y la iglesia no es el edificio, sino las personas que han creído en Cristo y lo han recibido en su corazón.

Desde el instante en que usted abrió su corazón a Cristo, no sólo pasó a tener un Padre celestial y nuevos hermanos, sino que pasó, también a hacer parte de la familia de Dios, la iglesia.

La iglesia de sana doctrina es aquella que cree en la Trinidad, en Jesucristo como Hijo de Dios, en lo que hizo por nosotros en la cruz y en la Biblia como base fundamental de toda doctrina. Además sus miembros reflejan la presencia del Espíritu Santo como lo dice **Mateo 7:20**

"Por sus frutos los conoceréis"

II. ¿ PORQUÉ NECESITAMOS DE LA IGLESIA?

El libro de los Hebreos enfatiza en no dejar de congregarnos como algunos " lo tienen por costumbre". En el tiempo del apóstol Pablo habían personas con prejuicios, temores y auto-suficiencia que se apartaban de este paso de obediencia.

Un hombre llamado Moffatt citado por el comentarista William Barcley, habla de aquellos que no van a la iglesia por miedo, por vergüenza, por temor a la crítica o a la burla de su círculo de amigos. Algunos tratan de ser discípulos secretos; pero dice él que ésto es imposible, pues el "discípulo" acaba con el "secreto" o el "secreto", acaba con el "discípulo".

Esta es la verdad, necesitamos de la iglesia para permanecer firmes y fieles en nuestra elección.

Entre las razones para hacer esta afirmación se encuentran las siguientes:

A. Nos permite tener comunión con otros creyentes

Unos de los nombres dados por el Señor a la iglesia es el de Cuerpo de Cristo, constituyéndose Él como **"cabeza del mismo, así como Cristo es la cabeza de la iglesia."** **Efesios 5:23**

"Vosotros, pues, sois el cuerpo de Cristo y miembros cada uno en particular."
1 Corintios 12: 27

Dios está mostrando el valor de cada miembro y su importancia, pues al ser parte de un cuerpo, ninguno sobra o carece de servicio; por el contrario, todos se necesitan y ayudan mutuamente.

Un ejemplo de cómo opera el cuerpo, es observando su reacción cuando alguien lo pisa o lastima; rápidamente la mano u otras partes del cuerpo salen en su ayuda para apaciguar el golpe y calmar el dolor. De igual forma nosotros como parte del cuerpo podemos ayudarnos mutuamente y alentarnos en momentos de prueba o de dificultad.

Si tratamos de permanecer teniendo únicamente amigos no cristianos y nos desvinculamos de los que son creyentes, resultará riesgoso, lo más factible es que nos cansemos de nadar contra la corriente y terminemos comportándonos como ellos. Debemos oír y poner en práctica el consejo del rey Salomón:

"Mejores son dos que uno. Porque si cayeren, el uno levantará a su compañero; pero ¡ ay del solo ! que cuando cayere, no habrá segundo que lo levante."
Eclesiastés 4: 9-10

Para aprender a tener comunión y fomentar lazos de amistad es necesario vincularse a las actividades de la iglesia, pues ir solamente a los cultos o reuniones congregacionales no es suficiente. Si compartimos sólo en las reuniones nuestra comunión será muy superficial. Los contactos informales le ayudarán a mostrarse como usted es y a conocer mejor a otros; les verá como son en su ámbito natural.

Debemos buscar tiempos para compartir juntos, podemos salir a comer, hablar por teléfono, visitarnos mutuamente y participar de las diferentes actividades de la iglesia, como lo son los encuentros, el post-encuentro, la escuela de líderes o vinculándonos a un ministerio que nos permita explotar los talentos que Dios nos dio.

B. Provee el consejo de cristianos maduros

La iglesia permite que los diferentes ministerios se desarrollen. Por eso, podemos contar con personas con un desarrollo espiritual más alto que el nuestro, con una mayor experiencia en su caminar con Cristo. Personas delegadas por los pastores quienes pueden darnos un consejo sabio cuando lo necesitemos.

Debemos establecer como principio, acudir a personas confiables y guiadas por Dios cuando veamos que algún pecado o mal hábito nos está gobernando, no lo podemos vencer o es más fuerte que nuestra voluntad.

Es necesario buscar su ayuda para recibir consejo y saber cómo salir victoriosos del problema o situación.

Evite por completo buscar a quienes no conocen de Dios, ellos carecen de la sabiduría divina y pueden inducirle a tomar decisiones de las cuales se arrepentirá después.

> "Los pensamientos de los justos son rectitud; mas los consejos de los impíos, engaño".
> Proverbios 12:5

Muchas personas viven las consecuencias de seguir el consejo de amigos no cristianos a quienes acuden en el momento de la dificultad y los guían por el camino equivocado.

Por ejemplo; Un joven tuvo una desavenencia con su esposa y se la comentó a su amigo no cristiano. Este le dijo: " Vaya, golpéela y piérdase tres días. Cuando vuelva la encontrará mansita". El lo hizo y su esposa no lo quiso ver, no lo recibió más en casa y le dijo que no quería un hombre así a su lado, pues era una mala influencia para ella y sus hijos.

C. Brinda la oportunidad de servir

De la misma manera como en el cuerpo cada miembro tiene su función, así en el cuerpo de Cristo, cada creyente tiene un don o habilidad dada por Dios para ministrar a los hermanos en la fe. Por esta razón Pedro escribió:

> "Cada uno según el don que ha recibido, minístrelo a los otros, como buenos administradores de la multiforme gracia de Dios".
> 1 de Pedro 4:10.

Los dones son muy variados y van desde sanidad, milagros, administración y servicio, entre otros. **1 Corintios 12:28-30** nos da una larga lista de ellos; pero la clave es usar los que el Espíritu Santo nos ha dado. Podemos servir en la obra de manera responsable y con una actitud correcta que refleje amor.

Establézcase el reto de asistir a la iglesia no sólo para recibir, sino también para servir. Hágalo en lo que esté a su alcance, así descubrirá los dones, el Espíritu Santo le dará otros y le respaldará en la labor que esté realizando.

Algunos dones y habilidades pueden parecer insignificantes a los ojos de los hombres porque no representen un reconocimiento público o no son visibles ante los demás; pero nada de lo que hacemos es insignificante a los ojos de Dios. Por cada labor realizada en su obra recibiremos la recompensa.

En cierta ocasión murió una anciana y el mismo día murió también, un gran predicador a quien ella, como intercesora, apoyaba siempre en oración. Cuando llegó al cielo el predicador pensó recibir un gran galardón por lo bien que había predicado. Sin embargo, su sorpresa fue grande, pues la anciana recibió uno mayor. Al preguntar porqué, le respondieron: "Los resultados que tu obtuviste fueron producto de la oración de ella."

Una de las características de la iglesia apostólica fue la capacidad de servir. Allí atender las mesas y cuidar a las viudas era tan importante que para realizar esta labor, escogían varones de buen testimonio, con sabiduría y llenos del Espíritu Santo. **Hechos 6:2-3.**

Una buena oportunidad para servir a la gente es haciéndoles partícipes de las buenas nuevas, del amor y perdón ofrecido por Dios para sus vidas. Debemos llevar el evangelio a otros y cuidar de ellos hasta verlos transformados a la imagen de Cristo. Esto, el servir a otros con las nuevas del evangelio, le dará mucha satisfacción y se volverá parte de su forma de ser.

Usted puede ser útil en la iglesia de diferentes maneras; por ejemplo, puede comentar a otros sobre la predicación, sobre alguna vivencia en la que Dios le ha ayudado o estando dispuesto para colaborar en cualquier actividad por pequeña que sea.

D. Provee el alimento espiritual

La iglesia de sana doctrina tiene como propósito edificar a los creyentes para la obra del ministerio, cumpliendo así con lo establecido por Dios.

> "A fin de perfeccionar a los santos para la obra del ministerio, para la edificación del cuerpo de Cristo".
> Efesios 4:12

Esto se hace con la enseñanza y capacitación adecuada para crecer en el conocimiento de Cristo, hasta estar en condiciones de capacitar a otros. Otra de las formas como la iglesia edifica es trayendo la presencia de Dios y el ambiente propicio para el mover del Espíritu Santo. A través de la adoración, la oración y la ministración, El puede actuar con libertad.

Si hay un sitio en donde pueda crecer espiritualmente y ser edificado es la iglesia. Allí pasa de bebé espiritual, recién nacido, a cristiano maduro. Para ello contribuye la Palabra predicada.

2 de Timoteo 3:16 dice:

> "Toda escritura es inspirada por Dios y útil para enseñar, para redargüir, para corregir, para instruir en justicia".
> 2 Timoteo 3:16

Entendemos por enseñar, la instrucción dada a la luz de la Palabra; por redargüir, convencer de pecado; por corregir, arreglar aquello que está mal y por instruir en justicia, orientar sobre cómo vivir rectamente.

Algunas personas creen que primero deben crecer espiritualmente y ser santas para ir a la iglesia, esto es un error, pues la iglesia funciona para perfeccionarle y orientarle a ser mejor.

Otros se congregan, pero creen que si caen en pecado no deben asistir más a la iglesia. La verdad es que ninguno de los líderes a quien admiramos han caminado perfectamente y sin tropiezo desde que se entregaron al Señor.

Indiscutiblemente, están en ese lugar de honra porque aprendieron a confesarle a Dios sus errores tan pronto como fallaban, y porque, a pesar de sus errores, continuaron fieles a la iglesia. Allí escucharon las predicaciones que produjeron cambio en sus vidas. Por eso, aunque usted falle y sienta vergüenza, propóngase confesarle a Dios su pecado y no faltar a la iglesia, ella le sostendrá y levantará en victoria nuevamente.

Tome ahora la decisión de comprometerse con Dios en serle fiel a El y a la familia en la cual El lo ha colocado, su iglesia. Determine en su corazón no sólo ocupar una silla en la iglesia, sino dar lo mejor de usted en servicio, entrega, compañerismo y consagración. Así, pronto vendrá el tiempo en el que amará su iglesia, la visión impartida por ella y a los otros creyentes. Sentirá que tiene una familia más grande y además, hermosa.

Haga "hoy" un pacto con Dios, prométale que pase lo que pase, nunca abandonará la iglesia, será fiel en todo tiempo, en el momento de la prueba, la dificultad ocuando el mundo esté golpeando a su corazón para apartarlo de Dios. Si lo hace, la bendición no se hará esperar, tocará su vida, su familia y verá la mano de Dios sobre usted para ayudarle y guiarle en todo aquello que realice.

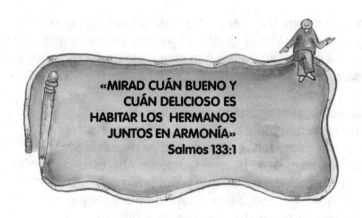

«MIRAD CUÁN BUENO Y CUÁN DELICIOSO ES HABITAR LOS HERMANOS JUNTOS EN ARMONÍA»
Salmos 133:1

TALLER
LA IGLESIA: REFUGIO DE DIOS

1. Según **Hebreos 10:25**. ¿Qué NO debemos dejar de hacer?

no debemos de dejar nuestra congregación como algunas tienen por costumbre

2. ¿A qué le llamamos iglesia?

llamamos iglesia a la Reunión de todos aquellos que an hecho su decisión por cristo y han acestado el poder Redentor de su sangre

3. Cuál es la diferencia entre "iglesia" e "iglesia local"

el termino iglesia quiere decir literalmente. asamblia de llamadas por eso los llamados son las creyentes y la iglesia no es el idificio, sino las Personas

4. Literalmente iglesia quiere decir:

asablia de llamados los cuales an creido en cristo y lo han Recibido en su corazón.

5. La iglesia de sana doctrina cree en:

    a. La Trinidad.
    b. La reencarnación.
    c. El purgatorio.

6. La verdadera iglesia proclama que Jesucristo es:

    a. Un profeta.
    b. Un excelente Maestro.
    c. El Hijo de Dios.
    d. Todas las anteriores.

7. El comentarista William Barcley, habla de algunos que no van a la iglesia por:

a. _Por miedo, por verguenza, por_
b. _temor a la crítica o a la_
c. _burla de su círculo de amigos_

8. Con base en lo anterior, complete:

Es imposible ser discípulo secreto porque:

"O el _disípulo_ acaba con el _secreto_ o el _secreto_ _acaba_ con el _disípulo_ "

9. Según **1 Corintios 12:27** ¿qué es la iglesia?

el cuerpo de cristo y miembros cada uno en particular

10. Marque con X la respuesta correcta:

Para seguir adelante en mi vida cristiana:

      a. No importa si mis amigos son inconversos.

      b. Solo necesito de Dios, no de otras personas.

   X c. También necesito de otros, me ayudarán y alentarán.

11. Según **Eclesiastés 4:9-10** porqué es bueno tener comunión y amistad con los otros miembros de la iglesia.

mejor son dos que uno porque si cayeren el uno levanta a su compañero; pero ¡ay del solo! que cuando cayere, no habrá segundo que lo levante:

RECUERDE:

"NO ES SUFICIENTE COMPARTIR SOLO EN LAS REUNIONES GENERALES DE LA IGLESIA, TAMBIÉN SON IMPORTANTES LOS CONTACTOS INFORMALES PARA CONOCERNOS CON OTROS Y MOSTRARNOS TAL COMO SOMOS."

12. Escriba tres actividades en que se puede involucrar para conocer más a los otros.

a. _salir a comer juntos_
b. _ablar por teléfono_
c. _visitarnos mutuamente y participar de las diferentes actividades de la iglesia_

13. ¿Por qué son buenos los consejos de los amigos de la iglesia?.
Según **Proverbios 12:5**.

Porque ellos le daran un Buen
consejo le ayudan a tomar una Buena
desición

14. ¿De qué te provee la iglesia y para qué?

la iglesia funciona para perfeccionarte,
y orientarle a ser mejor hijo de Dios

VIDA EQUILIBRADA

Uno de los aspectos que determinan nuestro futuro es saber manejar nuestro presente, para ello es fundamental establecer bien nuestras prioridades y crearnos el desafío de crecer como Jesús, no sólo en un aspecto, sino en todas las áreas de la vida. Esto hará de nosotros personas de éxito, atraeremos a otros y seremos una influencia positiva en el círculo donde nos desenvolvemos: familiar, social, laboral o ministerial.

> "Y Jesús crecía en sabiduría y en estatura, y en gracia para con Dios y los hombres".
> Lucas 2:52.

Este versículo refleja a un Jesús ejemplar que marcó el camino por donde debemos andar y seguir sus pisadas. Es impactante ver a un Jesús no conformista, de retos y desafíos, quien no aceptó el estancamiento como estilo de vida, sino que buscó ser cada día mejor.

La palabra crecimiento viene del griego Prokopto que significa abrirse camino hacia delante, es decir progresar, y el Señor los hizo en los cuatro aspecto básicos que son: Aspecto intelectual, espiritual, físico y social.

I. ASPECTO INTELECTUAL

La Palabra dice: " Y Jesús crecía en sabiduría...". La sabiduría se refiere, básicamente, al aspecto intelectual. Tiene que ver con el desarrollo del intelecto, con crearse retos que lo hagan más culto, más sabio, más capaz en los estudios, profesión, oficio o lugar en donde se desenvuelve. Por ejemplo, en su hogar puede proponerse aprender cómo ser mejor en su papel de hijo, padre, madre, esposo o esposa.

Dios sabe que sólo quienes dejan de lado la negligencia y la pereza pueden lograr sus propósitos, alcanzar el éxito, crecer y ser mejores personas. No basta soñar y querer tener, para lograrlo es necesario actuar con diligencia, constancia y disciplina.

> El alma del perezoso desea, y nada alcanza; más el alma de los diligentes será prosperada".
> Proverbios 13:4.

El perezoso siempre trata de justificar su comportamiento, pero el tiempo transcurre y los progresos quedan solamente en intenciones, por ello se llena de frustraciones y sentimientos de incapacidad.

Bien lo dice **Proverbios 26:16: " En su propia opinión el perezoso es más sabio que siete que sepan aconsejar"**.

Dios no quiere vernos frustrados, sintiéndonos unos buenos para nada. El nos dio ejemplo para crecer, para ser mejores en todas nuestras áreas. Un buen reto para no caer en la trampa del perezoso es establecernos metas claras y concretas. Hacer esto nos ayudará a darle prioridad a lo realmente importante y a no dejarnos enredar por lo urgente.

Lo importante nos acerca a la meta, lo urgente, que es lo improvisto nos aleja de ella.

En el aspecto intelectual debemos establecernos metas específicas que nos acerquen a nuestro objetivo. Por ejemplo:Leer un libro mensual o semanal; aprender sistemas o lo básico para manejar la computadora o aprender inglés. Debemos crearnos el desafío de ser cabeza y no cola, ser el primero y no el último en el lugar donde nos desenvolvemos, ya sea en el colegio, la universidad o nuestro trabajo.

En fin, de acuerdo a sus sueños establézcase por lo menos, tres metas para lograr en un tiempo determinado, puede ser un trimestre, seis meses, un año, o como lo estime conveniente. Es importante que defina un tiempo, de lo contrario serán sólo buenas intenciones.

II. ASPECTO FÍSICO

" Y Jesús crecía en .... estatura..." Lucas 2:52

La estatura se refiere al aspecto físico, en él también debemos progresar. El estilo de vida, hábitos alimenticios, nutrición y recreación ejercerán influencia directa en nuestra imagen y en la que proyectamos.

En cierta ocasión, un hombre de Dios llamado Dick Iverson nos dio un consejo a mi esposo y a mí. Nos recomendó tres cosas prácticas para cuidar nuestra condición física.
La primera, cuidar nuestra alimentación; la segunda, practicar algún deporte, y la tercera no permitir el estrés. Creo que este hombre tiene razón, es de sabios ser equilibrados en todo. Por eso debemos establecer en nuestra vida hábitos que prolonguen nuestra existencia y no que la acorten al afectar nuestra salud. Pensamos que no es necesario cuidarnos, abusamos de nuestra juventud y caemos en excesos que dejan ver sus consecuencias más tarde.

El exceso en la comida se da al consu- mir desmesuradamente dulces, sal, gaseosas, chocolates. Debemos establecer nuevos hábitos, verificar si es saludable nuestra alimentación y hacer los correctivos necesarios. Puede iniciar con pequeños retos como no comer chocolates en un día, no tomar esta semana gaseosa, no aplicar excesiva sal a las comidas, etc.

En cuanto al tiempo de descanso debo incluir un deporte o un ejercicio que implique actividad, además de ser saludable relaja e impide el estrés. Es increíble encontrar jóvenes cuyo único deporte es pasarse el día entero frente al televisor. Su condición física es tan mala que no pueden hacer un simple ejercicio, pues se enferman. Cultive la práctica de algún deporte, pero no se vaya a los extremos, muchos convierten el deporte en su Dios y se olvidan del Señor.

Nuestra imagen refleja lo que somos y el Dios en el que creemos. Jesús también en esto fue un ejemplo para nosotros. Aunque nació en un humilde pesebre se superó y vistió la mejor ropa de su época, usaba túnicas sin costuras y éstas eran las mejores del momento, tanto que los soldados echaron suertes sobre ellas para repartirlas entre sí. **Juan 19:23-24.**

En el aspecto físico debemos seguir a nuestro Maestro y progresar en la manera de vivir, de vestir y de amar, sin hacer de esto un dios, sino como testimonio de lo que hace el Señor con quienes son fieles.

III. ASPECTO ESPIRITUAL

"Y Jesús crecía... en gracia para con Dios".

Una de las cosas que trae bendición y plena realización es el crecimiento en el conocimiento de Dios.

Mateo afirma:

> "Más buscad primeramente el reino de Dios y su justicia,
> y todas estas cosas os serán añadidas"
> Mateo 6:33.

Ese crecimiento se manifiesta en una búsqueda continua de Dios, por conocerle y agradarle, el hacerlo nos traerá las más ricas bendiciones, tanto en el ámbito material, físico, emocional y espiritual.

El apóstol Pedro nos aconseja establecernos retos, para así nunca estar sin fruto. Nos propone alcanzar primero, diligencia, después fe, virtud, conocimiento, dominio propio, paciencia, piedad, afecto fraternal y por último, añadir amor. Debemos decidirnos a escalar en nuestra vida espiritual un nivel cada vez más alto que se refleje en nuestra manera de vivir. Así se cumplirá **2 de Pedro 1:8-10**

> " Porque si estas cosas están en vosotros, y abundan,
> no os dejarán estar ociosos ni sin fruto en cuanto al
> conocimiento de nuestro Señor Jesucristo"

y agrega: " .. **porque haciendo estas cosas no caeréis jamás**".

Si la búsqueda de ser mejores pasa a un segundo plano, hemos olvidado el sacrificio de Cristo en la cruz y el precio que él pagó para limpiarnos de nuestros pecados. Por eso, lo mejor que podemos hacer, para mantener el crecimiento espiritual es permanecer agarrados de Dios, él nos mostrará las áreas en las que estamos cediendo terreno al enemigo y nos dará su consejo para salir victoriosos. Además, pondrá en nosotros el desafío de ser mejores.

Jesús creció en gracia para con Dios, el resultado de ese crecimiento hizo que se manifestará en El, el poder de Dios y los dones del Espíritu Santo.Tuvo un ministerio exitoso y multitud de personas fueron transformadas, sanadas, liberadas y restauradas a través de su vida.

Ese mismo Jesús vive ahora dentro de nosotros y en la medida que crecemos en su conocimiento y en su gracia, tendrá libertad para obrar convirtiéndonos en un canal de bendición.

Nuestra vida espiritual será impulsada si nos creamos desafíos, debemos involucrarnos en la obra, no como simple espectadores, sino como miembros activos. Cuando asumimos retos creamos un mayor nivel de exigencia en el campo espiritual. Por ejemplo, si tenemos que enseñar a otros, tenemos la necesidad de prepararnos, repasar lo aprendido y pedir a Dios su respaldo.

Los dones fluyen cuando creamos la necesidad de ellos, Dios nos los da para servir a su pueblo y no para jactarnos de ellos. En la medida en que nos involucremos en la obra, el Señor podrá levantarnos y derramarlos sobre nuestras vidas.

El apóstol Pablo dice una gran verdad en **1 de Corintios 15:58**

> "Así que hermanos míos, amados estad firmes y constantes, creciendo en la obra del Señor siempre, sabiendo que vuestro trabajo en el señor no es en vano".
> 1 Corintios 15:58

El texto nos anima a ser firmes, a no dejarnos mover de lo que ahora somos en Cristo, a crecer; es decir, a hacer más de los que me dicen o piden, obrando con iniciativa para hacer las cosas cada vez mejor.

Pablo enseña cómo nuestro trabajo para el Señor no es en vano y nosotros debemos saberlo y creerlo, pues aunque en el momento no veamos frutos, Dios sabe lo que hemos realizado y conforme a eso nos dará la recompensa.

Propóngase crecer en el aspecto espiritual y hágalo trazándose metas específicas para no estancarse, no se conforme con asistir a las diferentes actividades de la iglesia, sino sea parte de cada una de ellas, como la célula, escuela de líderes, los ministerios, etc.

IV. ASPECTO SOCIAL

" Y Jesús crecía... en gracia para con... los hombres"

Tener vidas equilibradas es no ir a los extremos y dar a cada cosa su lugar. El Señor conocía lo importante que eran las personas, por eso se interesó en ellas, las conoció y suplió su necesidad. Todo esto le dio gracia delante de la gente, querían compartir con él, escucharlo, estar a su lado y por eso le seguían.

Nosotros debemos progresar en nuestro trato con aquellos que nos rodean, de manera que ellos vean en nosotros personas que vale la pena seguir e imitar. Hablamos más con lo que hacemos que con lo que decimos, mucha gente nos observa y si encuentran en nosotros sencillez, amor, calor humano y una vida integra, nos abrirán la puerta para llegar a sus corazones y hacerlos miembros de la familia de Dios.

El profeta Samuel en su juventud no siguió el mal ejemplo de los jóvenes de su edad que compartían con él en la misma casa, él decidió ser íntegro en su manera de vivir y fue acepto delante de Dios y de los hombres de su época.

> " Y el joven Samuel iba creciendo, era acepto delante de Dios y delante de los hombres".
> 1 Samuel 2:26

Uno de los lugares en donde debemos cuidar nuestro testimonio es en la casa, de esta manera progresaremos en las relaciones afectivas con los miembros de nuestra familia. Allí los cambios son más notorios ya que todos nos conocen y se dan cuenta de los progresos alcanzados. Debemos proponernos metas sencillas pero efectivas.

Por ejemplo, si reaccionábamos con mal genio cuando algo no salía bien o cuando nos sentíamos agredidos, vamos a cambiar. Debe haber progreso en nuestro trato con los demás, en la comunicación, en la unidad, en la comprensión y en el compañerismo.
No podemos permitir que nuestras metas en otras áreas desplacen el tiempo con los nuestros, deteriorando la relación familiar, creando distancias o robando comunión con ellos.

Cierta joven tenía un dolor muy grande en su corazón. Siempre que su padre la necesitaba no tenía tiempo y siempre había otras prioridades. No le dedicó tiempo y cuando quiso fue demasiado tarde, su padre murió y sintió dolor e impotencia. Dios quiere que tengamos equilibrio en el trato con la familia, quiere que les demos tiempo y atención, y que con nuestro amor y testimonio podamos ganarlos para el Señor.

De la misma manera, nuestro testimonio abarca también nuestra relación con terceros. Pablo enseña a Timoteo:

> "También es necesario que tenga buen testimonio con los de afuera, para que no caiga en descrédito y en lazo del diablo".
> 1 Timoteo 3:7

Un aspecto determinante para crecer en el área social es la integridad en nuestra manera de vivir, esta da confianza a quienes nos rodean, pues se darán cuenta que nuestro propósito no es aprovecharnos de ellos, sino influir positivamente en sus vidas.

Nada peor que perder la credibilidad para cerrarnos puertas en nuestra relación con otros. No debemos hacer concesiones con los principios éticos y morales que rigen nuestra vida, pues esas pequeñas concesiones son una mancha, que en lugar de hacernos bien, aparta a las personas de nuestro lado, pues quedan prevenidos cuando descubren un engaño, se sienten utilizados y no valorados.

Alguien dijo: "Las personas se hicieron para ser amadas y las cosas para ser usadas". Esto es muy cierto, cuando amamos a las personas en lugar de usarlas tenemos relaciones sólidas y duraderas que reflejarán la integridad de nuestro carácter, un interés genuino, el amor, el compañerismo y una vida de principios éticos.

Si seguimos el ejemplo de Jesús, crecer en todas las áreas intelectual, física, espiritual y social, tendremos una vida de éxito, de satisfacción personal y de bendición no sólo para nosotros, sino también para nuestras familias y quienes nos rodean.

Ellos verán que sí es posible tener un estilo de vida mejor cuando se sigue al Señor, esto les dará la oportunidad de volverse a Dios y disfrutar la bendición que tiene conocer al Señor y dejar que Él guíe sus vidas.

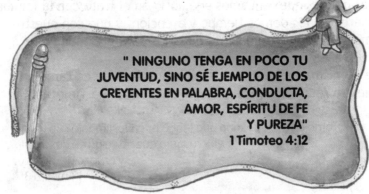

" NINGUNO TENGA EN POCO TU JUVENTUD, SINO SÉ EJEMPLO DE LOS CREYENTES EN PALABRA, CONDUCTA, AMOR, ESPÍRITU DE FE Y PUREZA"
1 Timoteo 4:12

TALLER

VIDA EQUILIBRADA

1. La Palabra enseña que Jesús fue equilibrado en su crecimiento. En qué crecía según **Lucas 2:52**?

Jesús crecía en sabiduría, y en edad, y en gracia para con Dios y los hombres.

2. ¿Qué significa CRECIMIENTO?

Crecimiento se manifiesta en una búsqueda continua de Dios por conocerle y agradarle, el hacerlo nos traerá las más ricas bendiciones.

3. ¿Cuáles son los cuatro aspectos en los que se debe CRECER?

*aspecto intelectual,
espiritual,
físico y
social*

4. ¿Qué se debe dejar para ser mejor intelectualmente y por qué?
Proverbios 13:4

se necesita dejar la negligencia y la pereza y ser diligentes y así alcanzar el éxito

5. ¿Cuál es una buena idea para no caer en la trampa del perezoso?
Con base en lo anterior:

es establecernos metas claras y concretas hacer esto nos ayudará a darle prioridad a lo realmente importante y no dejarnos enredar por lo urgente,

6. Escriba los tres consejos prácticos para cuidar nuestra condición física

primero cuidar nuestra alimentación; segunda practicar algún deporte; y la tercera no permitir el estrés.

7. ¿Cuál es el aspecto en el que debo crecer que traerá a mi vida más bendición y plena realización? **Mt 6:33**

una busqueda continúa de Dios,

8. ¿Por qué es importante establecernos retos en nuestra vida espiritual. **2 Pedro 1: 8-10?**

para asi nunca estar sin fruto para poder escalar a un nivel coda vez mas alto que se Refleje en nuestra manera de vivir.

9. Jesús creció en gracia para con Dios, eso trajo que en su vida se manifestaran:

El P _oder del padre en el_
Los D _ones del padre_
Y un gran M _inisterio que el desarroyo_

RECUERDE:
"JESUS VIVE DENTRO DE NOSOTROS Y EN LA MEDIDAQUE CREZCAMOS EN SU CONOCIMIENTO Y EN SU GRACIA Él OBRARÁ EN NOSOTROS Y NOS HARÁ CANALES DE BENDICIÓN"

10. Nuestra vida espiritual es impulsada cuando nos creamos _metas_ que nos llevarán a un mayor nivel de _vida_

Con base en lo anterior:

MIS _metas_ son:
poder alcanzar muchas almas para la gloria del señor y servir en lo que el señor le plasca

11. ¿Cuándo fluyen los dones a través de nosotros y para qué?

cuando ay una vida de consagracion de entrega total al señor y dejar que el use nuestros vidas para el crecimiento de la obra

12. ¿Cuál debe ser nuestra mejor predicación?

nuestra manera de vivir y comportarnos

13. ¿Qué decidió el profeta Samuel en su juventud? Según **1 Samuel 2:26**

el decidió ser íntegro en su manera de vivir

14. ¿Qué debemos cuidar para mejorar nuestro testimonio en nuestra casa? Dé ejemplos personales.

una Buena comunicación con la familia comprensión mostrar el amor en todo tiempo Buscar de Dios la familia y Buscar la guianza y dirección de Dios

15. ¿Por qué es fundamental la integridad para el crecimiento en el área social? **1 Timoteo 3:7**

nuestra manera de vivir esta da confianza a quienes nos Rodean pues se darán cuenta nuestro propósito no es oprovecharnos de ellas, sino enfluir positivamente en sus vidas.

EL CRECIMIENTO EQUILIBRADO NO SOLO NOS DARÁ ÉXITO Y
SATISFACCIÓN PERSONAL, SINO GRANDES BENDICIONES
PARA NOSOTROS Y PARA LOS QUE NOS RODEAN.

EL BAUTISMO
UN PASO DE
OBEDIENCIA

#8

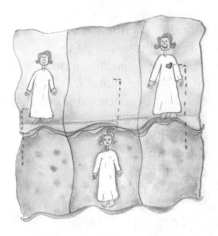

Toda persona antes de partir de este mundo, de poder hacerlo, dice en su último momento aquello que
considera lo más importante. Fue así, como Jesús
mostró cuan relevante era para El bautizarse al dar
énfasis a este aspecto antes de subir al Padre.
Así lo registra **Mateo 28: 19**:

> "Por tanto, id y haced discípulos a todas las naciones,
> bautizándolos en el nombre del Padre
> y del Hijo y del Espíritu Santo"

Vemos entonces que el bautismo es para aplicarlo
con todos los creyentes ganados a través de la gran
comisión; es decir, en el Ir y el Hacer discípulos.
Otro hecho que refleja su importancia es que Jesucristo no sólo lo mando, sino también, El mismo lo
aplicó. Fue el paso inicial de su ministerio público.

Surge entonces una serie de inquietudes referentes al bautismo, como las Siguientes:

I. QUÉ ES EL BAUTISMO

Bautizar es sumergir y no simplemente rociar agua sobre alguien. Esto se explica analizando su significado en Griego. Baptizo es la inserción de la sílaba IZ a la raíz BAPTO. Producto de agregar a la raíz griega la sílaba Iz. Iz: Siempre se usa en el sentido de causar que algo sea o suceda. Bapto: significa " sumergir algo en un líquido y sacarlo otra vez". Por lo tanto, el significado de Baptizo teniendo en cuenta lo anterior es "Hacer que algo sea sumergido en un liquido y sacarlo otra vez". Entonces cuando la Biblia habla de Bautismo, siempre esta refiriéndose a sumergir.

II. TIPOS DE BAUTISMO EN AGUA

Bautismo de arrepentimiento

Este tipo de bautismo fue promovido por Juan el Bautista, quien tenía el encargo de parte de Dios de preparar el camino del Señor. Él lo hizo induciendo al pueblo al arrepentimiento para el perdón de pecados y sellando esta decisión, con un testimonio público del cambio por medio de la confesión de pecados, la cual estaba implícita en el bautismo.

Juan el Bautista nos dio una gran enseñanza sobre cómo prepararnos para el bautismo en agua, siempre con un corazón genuinamente arrepentido.

Genuinamente porque **Mateo 3:7-8** narra que Fariseos y Saduceos venían a ser bautizados, pero Juan les exhortaba diciendo haced frutos dignos de arrepentimiento, Dios no quiere que nos bauticemos por motivos religiosos o legalistas, sino como un testimonio vivo, pues ahora vamos a vivir de manera agradable para El.

Bautismo de obediencia

Jesús fue llevado al templo para ser presentado delante de Dios a los cuarenta días de nacido **(Lucas 2:22)**.

Sin embargo, fue a los treinta años que Jesús se bautizó cuando sabía bien lo que hacía.

"Entonces Jesús vino de Galilea a Juan al Jordán, para ser bautizado por él. Mas Juan se le oponía diciendo: Yo necesito ser bautizado por ti, ¿ y tú vienes a mí? Pero Jesús le respondio: Deja ahora, porque así conviene que cumplamos toda justicia, entonces le dejo".
Mateo 3: 13-15.

Juan el Bautista realizaba un bautismo que confirmaba el arrepentimiento y el perdón de pecados y como Jesús no cometió pecado él no quería bautizarlo. Al contrario, él afirmaba que necesitaba, más bien, que Jesús lo bautizara. Pero Jesús le explica a Juan que él lo hace para cumplir con toda justicia.

RESUCITAR A UNA NUEVA VIDA

Justicia viene del griego Dikaisune y significa "todo aquello que ha sido señalado por Dios para que sea obedecido y reconocido por el hombre". Eso quiere decir que Cristo como hombre reconoció y cumplió lo señalado por Dios, tal como lo refleja su obediencia.
Nosotros los creyentes debemos seguir las pisadas de nuestro maestro y dar también, este paso de obediencia y lo haremos más rápido si comprendemos como dijo Jesús que nos conviene.

Mateo 3:15 en la versión de la Biblia al día dice: "Juan - le respondió Jesús- bautízame, porque nos conviene cumplir lo que Dios manda".

Pero, ¿ Porqué nos conviene? : Nos conviene porque el que se bautiza en agua como enseña la escritura, está muriendo a su vieja manera de vivir y resucitando a una nueva vida, la Palabra dice en **Romanos 6:4**:

"Porque somos sepultados juntamente con él para muerte por el bautismo, a fin de que como Cristo resucitó de los muertos por la gloria al Padre, así también nosotros andemos en vida nueva".

III. QUÉ NECESITA PARA SER BAUTIZADO

A. Creer

Todo lo que hacemos en la vida Cristiana demanda fe. Un caso es el del Eunuco quién preguntó a Felipe: "**¿ Qué impide que yo sea bautizado? Y él dijo: Si crees de todo tu corazón, bien puedes y respondiendo dijo: Creo que Jesucristo es el Hijo de Dios y mando parar el carro: y descendieron al agua, Felipe y el Eunuco, y le bautizó**". Hechos 8:37-38.

La Biblia registra otros ejemplos de personas que después de Creer en Jesús, su siguiente paso fue bautizarse de inmediato: Los tres mil convertidos en **Hechos 2:41**; el carcelero de Filipos y su familia en **Hechos 16:33**; y Crispo, principal de la sinagoga de Corinto quien fue bautizado con todos los que con él creyeron en **Hechos 18:8**. Estos son casos donde el bautismo fue precedido por la fe en Cristo y se realizó enseguida.

Todos estos casos tienen la fe como una característica básica. Son casos en donde el bautismo fue precedido por una fe sencilla, pero que refleja decisión y es la que necesitamos para dar este paso tan pronto como nos sea posible.

B. Arrepentirse

El arrepentimiento debe preceder al bautismo. El arrepentimiento viene del griego Metanoeo y significa cambiar la mente o propósito. En el Nuevo Testamento involucra siempre un cambio a mejor. El bautismo demanda arrepentimiento, morir a los deseos carnales, a los malos hábitos, a las cosas que a mi parecer están bien; pero a los ojos de Dios andan mal.

Cuando Pedro predica su primer sermón, la gente le pregunto: ¿Qué haremos?

Hechos 2:38 " Pedro les dijo: Arrepentíos, y bautícese cada uno de vosotros en el nombre de Jesucristo para perdón de los pecados: y recibiréis el don del Espíritu Santo".

Su respuesta deja ver que si queremos ser bautizados es indispensable pasar primero por el arrepentimiento; es decir, un cambio de mente y de propósitos que reflejen que Jesús es quien gobierna ahora nuestras vidas.

IV. BENDICIONES DEL BAUTISMO

El bautismo tiene una connotación en el mundo espiritual porque resucitamos a un nuevo estilo de vida agradable a Dios y se abre camino a las mismas bendiciones que recibió Jesús al momento de realizarlo.

> "y Jesús, después que fue bautizado, subió luego del agua; y he aquí los cielos le fueron abiertos y vio al Espíritu Santo de Dios que descendía como paloma y venía sobre El. Y hubo una voz de los cielos que decía: Este es mi hijo amado, en quien tengo complacencia".
> Mateo 3:16-17.

No habrá nada que haga división entre Dios y nosotros, pues al abandonar el pecado tenemos acceso a su presencia. Los cielos se abrirán y podremos conquistar en el mundo espiritual lo que queremos ver en el material. **Isaías 59:2** nos enseña que sólo el pecado nos separa de Dios, si superamos este obstáculo nada nos separará del Señor.

Jesús vio al Espíritu Santo venir sobre El. Así mismo, con el bautismo se abrirá nuestra sensibilidad al Espíritu de Dios y por lo tanto, habrá mayor respaldo porque podremos contar con su dirección.

Jesús recibió la aceptación de su padre cuando éste le dijo que El era su hijo amado, el Padre le está confirmando que en su condición de hombre es su hijo y su hijo amado, el Señor le expresa su complacencia con El.

Cuando damos el paso del bautismo Dios nos confirma como sus hijos, nos hacemos sus amados y le complacemos al hacer su voluntad. Es por todo esto que debemos bautizarnos, al hacerlo no sólo obtenemos las bendiciones de Dios, sino que estamos confesando públicamente nuestra fe en El.

"... BAUTÍZAME, PORQUE NOS CONVIENE CUMPLIR LO QUE DIOS MANDA..."
Mateo 3:15

TALLER
EL BAUTISMO UN PASO DE OBEDIENCIA

1. ¿Cuál fue el primer acto de Jesús en su ministerio? **Mt3:13-17**

her ante Juan el Bautista para ser Bautisado paraque se cumpliese lo ordenado por Dios

2. ¿Qué hizo el carcelero filipense después de escuchar el mensaje? **Hechos 16:29-33**

se arrepintió de sus pecados y tomandolo en la misma hora de la noche les lavó las heridas

3. ¿Cuándo?**Hechos16:33**

y en seguida se Bautizó el y todos los de su casa

4. ¿Cuáles son las clases de bautismo?

a. sumergir la persona en el agua
b. Rociar agua sobre la persona

5. ¿Qué bautismo practicaba Juan?

el Bautismo del arrepentimiento Bautismo de sumerción

6. ¿Qué requisitos tenía este bautismo?

siempre con un corazón genuinamente arrepentido

7. ¿Qué les exigió Juan el bautista a los Saduceos y Fariseos?
Mateo 3:7-8

haced, pues frutos dignos
de arrepentimiento

8. Según **Lucas 2:22**, Jesús en su niñez fue:

fue traído a Jerusalem para ser
presentado ante el señor

9. ¿Qué bautismo practicó Jesús? **Mateo 3:13-15**

entonces Jesús vino de galilea a Juan al
Jordón para ser Bautizado por el. mas Juan se le
oponia diciendo! yo necesito ser Bautizado por ti by tu vienes a mi?
pero Jesus le Respondió: deja ahora
10. ¿Qué significa **DIKAISUNE?** Porque asi conviene que se cumpla toda
Justicia entonces le dyó.

significa "todo aquello que a sido señalado
por Dios para que sea obedecido y Reconocido por el
hombre"

11. Teniendo en cuenta lo anterior ¿por qué Jesús se bautizó?

eso quiere desir que cristo como hombre Reconoció
y cumplió lo señalado por Dios, tal como lo
Refleja su obidiencia

12. ¿Con cuál de estos dos bautizos usted debe ser bautizado y por qué?

en el Bautizmo desumercion para,
morir para el mundo y vivir para cristo

13. Según **Hechos 10:47-48** ¿Es suficiente el bautismo del Espíritu Santo?

se necesita ser Bautisado en agua Para cumplir con lo ordenado Por el señor Jesucristo

14. ¿Qué necesito para ser bautizado? **Marcos 16:16**

el que creyere y fuere bautizado, sera salvo mas el que no creyere, sera condenado

15. EL Bautismo implica sepultar mi pasada manera de vivir **Romanos 6:4** y sólo un corazón *arrepentido* puede alejarse del pecado que antes le gobernaba.

16. Según **Hechos 2:38**
Primero debo *creer en cristo Jesus* y *arrepentirme* de mi pecado.
Para después ser *salvo y dar ejeplo* como evidencia pública de mi posición actual.

17. ¿Qué bendiciones vinieron a Jesús cuando se bautizó? **Mateo 3:16-17**

a. *vio al Espíritu santo de Dios que descendía como*
b. *Paloma y venía sobre el y hubo una gran voz*
c. *de los cielos que decía este es mi hijo amado en quien tengo complacencia*

CUANDO NOS BAUTIZAMOS CONFIRMAMOS EXTERNAMENTE QUE SOMOS HIJOS AMADOS DE DIOS Y EL SE COMPLACE EN NOSOTROS.

LA MÚSICA Y SU INFLUENCIA EN NUESTRA VIDA

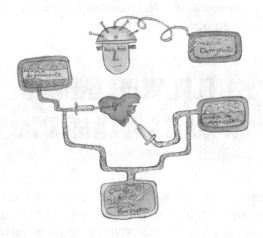

Cuando llegamos del encuentro con lo primero que nos enfrentamos es con el deseo de cambiar nuestra manera de vivir, pero a veces no sabemos cómo. En el Encuentro se nos enseña sobre la influencia de la música secular en nuestras vidas, para muchos esa es su mayor afición y nos cuesta imaginar cómo manejar este aspecto ahora que somos creyentes.

La música es un instrumento creado por Dios y tergiversado por Satanás para engañar a muchos y robar la adoración que sólo Dios merece. No podemos desconocer el hecho que tenemos música en cada parte de nuestro cuerpo; en la respiración, en las palpitaciones del corazón y en cada átomo de nuestro ser. Por tener música en nosotros es que nos atraen los diferentes ritmos o melodías; es natural, así nos hizo Dios.

La cuestión no es privarnos de la música, sino saberla seleccionar de manera que no produzca en nosotros consecuencias negativas. La música condiciona nuestro comportamiento; por ejemplo, cuando los nervios están alterados o los niños hiperactivos se aconseja colocarles música suave, ésta calma los nervios y reduce la ansiedad.

Con frecuencia movemos nuestros pies, dedos o cabeza; al son del ritmo que escuchamos o inconscientemente cantamos una canción que no nos gustó, lo hacemos porque la melodía o el ritmo se quedó en nuestra mente.

I. EL PLAN DEL ENEMIGO A TRAVÉS DE LA MÚSICA

Satanás trazó el plan de meterse en la mente y en el corazón de la humanidad a través de la música y así controlar su comportamiento y gobernar sus vidas hasta llevarlas a la destrucción y la muerte, no sólo física, sino espiritual. Robar todo lo que aman, su familia, sentimientos, amigos y aún a ellos como personas.
Juan 10: 10 dice:

> "El ladrón no viene sino para robar y matar y destruir;
> yo he venido para que tengan vida,
> y para que la tengan en abundancia.
> Juan 10:10

II. PROPÓSITOS DE SATANÁS A TRAVÉS DE LA MÚSICA

A. Roba la honra a Dios y la vida abundante del nuevo creyente

Satanás le roba la honra y la adoración que corresponde sólo a Dios, lleva a la gente a cantar y bailar melodías que glorifican al enemigo. Con mensajes directos se exaltan los pecados que Dios abomina como la fornicación, el adulterio, los placeres sexuales, la falta de perdón, y la venganza. Así, roba las almas de quienes le siguen y les quita la vida abundante que Cristo conquistó en la cruz.

Cuando cantamos canciones con mensajes como: "devórame otra vez", ponemos en nuestra mente palabras que despierten nuestra carne, sus pasiones y deseos sexuales, con el fin de llevarnos a ceder nuevamente a la esclavitud del pecado.

En mi experiencia he visto, que quien no puede renunciar a la música secular, aún tiene el mundo en su corazón y su Señor no es Dios, sino la música.

Es nuestra responsabilidad mirar de quién somos. Para esto nos ayudará evaluar, si lo que cantamos y con lo que estamos llenando nuestra mente es lo mismo con lo que Jesús llenaría su corazón si estuviera en nuestro lugar.

"El que no es conmigo, contra mí es; y el que conmigo no recoge, desparrama"
Lucas 11:23

Una joven comenzó a caminar con Dios. Fue a Encuentro, allí vió el poder de Dios en su vida para dejar todo aquello que no le servía, como la música y su novio, quien acostumbraba llamarla bajo los efectos del alcohol.

Sin embargo, ella se permitió ciertas libertades con la música secular, en especial con la bailable. Esta la hizo volver atrás, pues nuevamente se despertó en ella el deseo por las fiestas, por su antiguo novio y otras cosas que no agradan al Señor.
Su fin fue triste, terminó sin Dios, sin novio y con un hijo sin padre.
Esta joven desperdició su vida y dañó el plan que Dios tenía para ella, hizo que la música y su novio ocuparan un lugar por encima de Dios.

B. Destruye la vida de sus seguidores

La música tiene poder para destruir a sus oyentes, Mick Jagger, más conocido como el "Lucifer del rock", decía: "SIEMPRE TRABAJAMOS PARA DIRIGIR EL PENSAMIENTO Y LA VOLUNTAD DE LA GENTE, Y LA MAYOR PARTE DE LOS GRUPOS HACEN LO MISMO".

En los conciertos la gente es incitada a través de la música, a cosas que en otras circunstancias, seguramente, no realizarían. Los jóvenes por ejemplo se despojan de sus ropas y terminan descubriendo sus partes íntimas o en relaciones sexuales indiscriminadas.

Todo se mezcla entre sí y fácilmente, los asistentes terminan bajo los efectos de la droga, cediendo a cualquier cosa o entregándose desmedidamente a la violencia. Así lo reflejan los periódicos que narran los sucesos de los lugares en donde estos grupos tienen participación.

Se cumple el dicho popular que dice: "Así paga el diablo a quien bien le sirve" el vandalismo y las prácticas realizadas denigran a los participantes, les incita a hacer lo malo, los deprime y les trae sentimientos de soledad o derrota, llevando a muchos al suicidio. Por todo ello, no debemos dejarnos envolver por este tipo de música, pues al hacerlo permitimos a Satanás cumplir su propósito: destruir a quienes fielmente le siguen.

C. Mata espiritual y físicamente a sus seguidores

La persona que pasa el día escuchando música siente el deseo de hacer lo que oye. Si dedica su tiempo a oír música en donde sólo habla de lo que pudo ser y no fue, de la tristeza, la desilusión o el dolor que la vida le ha dejado, terminará deprimido, llorando amargamente, ingiriendo alcohol para ahogar las penas o suicidándose, dejando el caos en su familia al destruir su vida.

Conocí el caso de un joven de 17 años, estudiante de bachillerato y vivía con sus hermanos. Un día comenzó a sentir una profunda soledad y se hizo de malos amigos, empezó a asistir a conciertos de música rock, allí los jóvenes se drogaban y golpeaban. Al cabo de un tiempo, este joven le comentó a su familia que había adquirido un compromiso muy serio, sin dar más explicaciones, al día siguiente se disparó un tiro y terminó con su vida.

El enemigo cumple su plan, matar a quienes caen en su trampa, acaba con sus vidas y con la esperanza de encontrar una vida mejor, los lleva a un lugar de tormento de donde no pueden salir. Muchos creyentes caen en su trampa, creen ser lo suficientemente fuertes para vencer la tentación y gobernar sus vidas. Terminan nuevamente esclavos de su pasado, del licor, del sexo ilícito, de la violencia, de maldad. Se convierten en hijos del diablo y pierden la vida que ganó para ellos Cristo en la cruz.

Dios quiere darnos vida y vida en abundancia, usted puede experimentarla en la medida en que pone en su mente cosas de edificación, música que lo reconforte, le traiga paz, le acerque a Dios y le haga mejor como persona.

III. LA MÚSICA CRISTIANA, TRANSMISORA DE VIDA

A. Transmite paz y calma el espíritu

La música incide en nuestras emociones y en nuestro estado de ánimo, lo que escuchamos rige nuestros pensamientos, acciones y actitudes.

El Rey Saúl por ejemplo, cuando dejó de caminar con Dios perdió su protección y vino sobre él un espíritu malo que lo atormentaba. Solamente cuando David tocaba el arpa sentía alivio y el espíritu malo se apartaba de él.

> "Y cuando el espíritu malo de parte de Dios venía sobre Saúl, David tomaba el arpa y tocaba con su mano; y Saúl tenía alivio y estaba mejor, y el espíritu malo se apartaba de él."
> 1 Samuel 16:23

La música ejerce poder en la gente que la escucha, ese poder puede ser bueno o malo, dependiendo del tipo de música que escoja. Cuando colocamos música cristiana desatamos la presencia de Dios en nuestras vidas y en nuestro hogar. Echamos fuera todo espíritu que haya predominado y quienes nos visitan sentirán la paz de la presencia del Señor. Al igual que Saúl, nos sentiremos cada vez mejor. **(1 Samuel 16:23)**

B. Es una herramienta útil para ganar almas

En el ámbito cristiano contamos con música excelente, agradable al oído con una influencia positiva en el oyente que le hace mejor persona, le alienta, le levanta el ánimo y le acerca a Dios. Podemos compartir nuestra música con los no creyentes, pues su calidad no demerita en nada a la secular. Nuestra música es una alternativa para quienes no conocen a Jesús y creen que en la iglesia todo es ceremonioso, mediocre o aburrido.

En el año 1 996, se presentó en el Palacio de los deportes de Bogotá el grupo de rock cristiano «Petra». El objetivo era evangelizar y mostrar al mundo una alternativa musical diferente. El impacto para quienes asistieron, incluyendo los medios de comunicación fue tal, que exaltaron la calidad musical de los integrantes del grupo y el espíritu que se vivió en el concierto, así como la actitud pacífica y reflexiva con que la gente salió, a pesar de la euforia del concierto.

En esta oportunidad apreciamos cómo la música es el instrumento eficaz para ganar almas, después del concierto más de ochocientas personas aceptaron al Señor.

C. Deja mensajes que edifican

Toda la música cristiana tiene mensajes positivos y alentadores, independientemente del género que sea; además, contiene melodías que lo acercan a Dios y le crean el ambiente propicio para orar; otras le permiten exteriorizar alegría cuando el gozo invade su corazón. Es importante darse la oportunidad de conocer música cristiana en los diferentes géneros musicales, encontramos desde salsa, merengue, vallenato, rock, balada, etc.

El apóstol Pablo en **1 Corintios 6:12** afirma:

> "Todas las cosas me son lícitas, mas no todas convienen,todas las cosas me son lícitas, mas yo no me dejaré dominarde ninguna"
> 1 Corintios 6:12

No se trata de prohibiciones, sino de saber elegir aquellos mensajes que además de ser agradables al oído, le hagan sentir mejor como persona, le traigan confianza, le fortalezcan en tiempo de angustia o le acerquen a Dios con sus melodías y palabras.

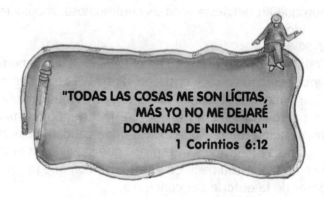

"TODAS LAS COSAS ME SON LÍCITAS, MÁS YO NO ME DEJARÉ DOMINAR DE NINGUNA"
1 Corintios 6:12

IV. CÓMO MANEJAR LA MÚSICA AHORA QUE SOY CRISTIANO

1. No permita pequeñas concesiones en lo que a música secular se refiere, fácilmente puede quedar atrapado por la misma.

2. Determine pensar en otra cosa cuando tenga que escuchar música secular.

3. No escuche música que avive recuerdos o vivencias del pasado, le puedan puedan llevar a sus antiguas practicas o andanzas.

4. Haga las cosas delante de Dios, mantenga la transparencia en todo lugar, sea consciente que el Espíritu Santo ve todas las cosas y está para ayudarle a ser fiel.

5. Cuando no quiera contaminar su corazón, hable en lenguas mentalmente, memorice versículos bíblicos, piense en las cosas buenas que Dios le ha dado o en otras que le edifiquen.

6. Destruya la música que le esclavizó en otro tiempo, crea que Dios es poderoso para dar mucho más de lo que pedimos o entendemos. **Deuteronomio 7:26** y **Hechos 19:19**

7. Adquiera buena música cristiana, de acuerdo a su gusto y escuche emisoras cristianas.

TALLER
LA MÚSICA
Y SU INFLUENCIA EN NUESTRAS VIDAS

✓

1. La música es un instrumento creado por _Dios_ y tergiversado por _satanás_

2. ¿Por qué nos atraen los diferentes ritmos y melodías?

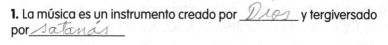

Porque traemos en la sangre la música y al escucharla se aviva el sentido del Ritmo

3. Frente a la música debemos:

    a. Desecharla toda porque es del diablo
    b. Escuchar de todo tipo de música porque mi cuerpo tiene música
    (c.) No privarnos de ella; pero saberla seleccionar
    d. Ir dejando la música que no me sirve poco a poco

LA MÚSICA CONDICIONA
NUESTROCOMPORTAMIENTO:
NOS ALTERA O POR EL CONTRARIO,
NOS CALMA Y REDUCE LA ANSIEDAD

4. Satanás consciente del poder de la música la usa para: **Juan 10:10**

    a. _el ladron no viene sino para Robar matar_
    b. _y destruir Roba la honra y la_
    c. _adoracion que corresponde solo a Dios_

5. ¿Qué roba Satanás a través de la música?

Roba la felicidad la Paz la alegría
de vivir. Roba el gozo Por lo tanto se quitan
la vida

6. Según **Lucas 11:23** ¿qué pasa con el que aún tiene la música secular en su corazón?

el que no es conmigo, contra mi es;
y el que conmigo no Recoje, desparrama

7. ¿Cómo usa la música Satanás para destruír?

Satanás trazó el plan de meterse en la mente y en el
corazón de la humanidad a través de la música y así
Controlar su comportamiento y gobernar sus vidas asta
llevarlos a la destrucción y la muerte

8. ¿Cómo actúa la música cristiana en nuestra vida?

Trasmite paz y calma el Espíritu
la música ejerce poder en la gente
que la escucha, ese poder es bueno si es
música cristiana

9. La música cristiana es un instrumento efectivo para:

es una herramienta util para
ganar almas para el Reino de nuestro
señor y salvador

10. Escribe en primera persona **1 Corintios 6:12**

todas las cosas me son lícitas. mas no todas
convienen. todas las cosas me son lícitas, mas
yo no me dejaré dominar de ninguna

CÓMO CONOCER LA VOLUNTAD DE DIOS

Conocer a Dios es una gran bendición, pero verlo obrar en cada una de nuestras áreas depende, muchas veces, de las decisiones que tomemos en las diferentes situaciones.

Tenemos la gran ventaja de contar con la dirección del Todopoderoso, quien está con nosotros para mostrarnos el camino que debemos andar.

Dios no se equivoca, El sabe mejor que nosotros, qué nos conviene y està dispuesto a darnos lo mejor. El proverbista nos aconseja:

> "Fíate de Jehová de todo tu corazón y no te apoyes en tu propia prudencia, reconócelo en todos tus caminos y El enderezará tus veredas. No seas sabio en tu propia opinión; teme a Jehová y apártate del mal"
> Proverbios 3:5.

Las decisiones equivocadas, que todos sin excepción hemos tomado, son producto de hacer las cosas a nuestra manera, sin tener en cuenta a Dios ni escuchar su consejo. Esto suele suceder porque no sabemos que El se interesa en las cosas pequeñas, creemos que la Biblia no tiene la respuesta a nuestras necesidades o simplemente, no nos hemos detenido a pensar qué opina Dios de nuestra decisión.

I. BENEFICIOS DE HACER LA VOLUNTAD DE DIOS

Si queremos obrar con sabiduría y tener un buen futuro dejemos de actuar a la ligera, pues es así como tomamos decisiones de las que luego nos arrepentimos. Por eso debemos acudir a Dios y buscar su dirección, El nunca se equivoca y escoge lo bueno para nosotros, nos ama y sus pensamientos son de bien y no de mal para darnos lo que hemos soñado, la felicidad que tanto anhelamos.

Jeremías lo describe de la siguiente manera:

> " Pues conozco los planes que para ustedes tengo, dice el Señor. Son planes de bien y no de mal, para darles un futuro y esperanza".
> Jeremías 29:11. (Biblia al día.)

Creerle a Dios y confiar en El es lo mejor que podemos hacer para asegurar nuestro futuro. Dios es como ese piloto que ve desde arriba las cosas que nos convienen y las que nos traerán problemas, buscar su consejo y obedecerle es actuar con sabiduría.

Romanos 12:2 dice:

> No os conforméis a este siglo, sino transformaos por medio de la renovación de vuestro entendimiento, para que comprobéis cuál sea la buena voluntad de Dios, agradable y perfecta".
> Romanos 12:2

Este versículo expresa tres verdades acerca de la voluntad de Dios: Es buena, es agradable y es perfecta.

La palabra "buena" viene del griego Agathos que significa algo que siendo bueno en su carácter es beneficioso en sus efectos. Es buena porque viene de un Dios cuya esencia es la bondad y su objetivo es darnos lo mejor para que disfrutemos de la vida plena que Cristo conquistó para nosotros en la cruz.

Agradable significa que es satisfactoria para nosotros en todos los aspectos. Dios sabe qué nos gusta y de acuerdo a esto nos escogerá lo mejor. No debemos temer confiar en Dios, pues El nos conoce más que nosotros mismos y nos dará lo mejor, lo excelente.

Algunas personas temen someter a Dios su área sentimental, piensan que Dios les dará lo opuesto a sus deseos, creen que El ignora sus necesidades. Por ejemplo, existen hombres a quienes no les gustan las mujeres habladoras y piensa que el Señor les va a dar una cotorra, y mujeres a quienes nos les atraen los hombres fríos en su trato y están seguras que Dios les dará uno que nunca exprese sus sentimientos.

Perfecta viene del griego Telion que significa capacitándonos para realizar el verdadero fin o propósito de nuestra existencia. Por lo tanto, como dice el comentario de Beacon, es la experiencia de plenitud, estar completos. Con esto podemos entender que haciendo la voluntad de Dios desarrollaremos nuestro máximo potencial y tendremos una realización plena.

II. CÓMO CONOCER LA VOLUNTAD DE DIOS

Para entender la perfecta voluntad de Dios es necesario llevar a cabo varios pasos que confirmarán su propósito en nuestra vida:

A. Morir a mi propia voluntad para hacer lo que Dios diga

El señor nos dotó de voluntad, es decir de la capacidad de decidir, cuando andábamos sin Cristo tomábamos decisiones ignorando su opinión. Ahora, es necesario morir a mis sentimientos, a mi parecer, a mi vieja manera de hacer las cosas para someterme a su voluntad.

En este paso debemos estar dispuestos a obedecerlo, sin crear ningún tipo de presión en la oración para convencerlo que mi parecer es correcto. No podemos orar diciendo: Señor haz tu voluntad, pero por favor que tu voluntad coincida con la mía. En el área sentimental, por ejemplo, siempre he creído que se debe orar por la persona dando las características que deseamos. Que sea dulce, tierno, amoroso, detallista, expresivo, etc. Pero debemos mantener una posición neutral, no podemos orar con nombre propio por determinada persona, algunos invierten mal su tiempo, pues Dios no cede a nuestros caprichos por más que le insistamos.

Antes de casarme me enteré que una mujer de la iglesia llevaba un año orando por mi esposo para que se casara con ella. Estaba convencida que por su insistencia, Dios iba a poner fin a nuestra relación y le iba a dar a César como su esposo. No le funcionó, nosotros nos casamos y ella desilusionada se fue a otro lugar.

Dios no se equivoca, actuaremos sabiamente si en lugar de aferrarnos a lo que queremos, renunciamos y esperamos en Dios, El sí sabe qué nos conviene. El Señor dice en Isaías:

> "Porque mis pensamientos no son vuestros pensamientos, ni vuestros caminos mis caminos, dijo Jehová. Como son más altos los cielos que la tierra, así son mis caminos más altos que vuestros caminos, y mis pensamientos más que vuestros pensamientos".
> Isaías 55: 8-9.

Necesitamos morir a hacer las cosas a nuestra manera para someternos a la voluntad de Dios. El nos dará lo más conveniente, aunque esto no sea necesariamente lo que en principio queremos. Debemos confiar en su voluntad y comprender que sus decisiones son mejores que las nuestras, El no se equivoca y siempre tendrá lo excelente para nuestras vidas.

B. Buscar el consejo de Dios a través de Su Palabra

> "Lámpara es a mis piés tu palabra, y lumbrera a mi camino"
> Salmo 119:105.

La Biblia tiene la respuesta para todas y cada una de nuestras necesidades, ya sean en lo económico, lo sentimental, el estudio, la familia, etc.

Debemos acudir a la Palabra para buscar qué dice respecto a nuestra petición. Si lo que pedimos está conforme a la voluntad de Dios, ella lo confirmará.

Si no sabe cómo conocer la dirección de Dios pídale sabiduría y El se la dará abundantemente y sin reproche.

> "Y si alguno de vosotros tiene falta de sabiduría pídala a Dios, el cual da a todos abundantemente y sin reproche, y le será dada "
> Santiago 1:5.

Busque textos bíblicos de acuerdo
a su necesidad, Dios se
encargará de hablar a su
corazón, pues la Palabra tiene la
cualidad de llegar a lo más íntimo
del hombre discerniendo los
pensamientos y las intenciones
del corazón. **Hebreos 4:12.**

Hace algunos años, cuando no habíamos adquirido apartamento, empecé a buscarlo insistentemente y Dios me dio el **Salmo
127:1-2** " Si Jehová no edificare la casa, en vano trabajan los
que la edifican; si Jehová no guardare la ciudad, en vano vela
la guardia. Por demás es que os levantéis de madrugada y
vayáis tarde a reposar, y que comáis pan de dolores; pues a su
amado dará Dios el sueño".

Entendí entonces, que no iba a conseguir vivienda
por correr buscándola de un lugar a otro. Me dijo que todo lo
que yo hiciera estaría de más si El no me la concedía. Me dijo
que esperara, que El mismo me la daría sin que yo la buscara.
Pasados unos meses, El Señor hizo el milagro. Nos concedió un
apartamento, tal como lo habíamos pedido en oración con mi
esposo. No necesité salir a buscarlo. El, simplemente, envió a
la persona que nos llevó al lugar justo y Dios hizo el resto.

C. Dios pone el deseo de hacer Su Voluntad

"Porque Dios es el que en vosotros produce así el querer
como el hacer, por su buena voluntad"
Filipenses 2:13.

Uno de los aspectos que confirmarán si estamos
moviéndonos conforme al propósito de Dios, es que El
inclinará nuestro corazón a su deseo, porque nos ama, como
dice la Palabra lo hace " por su buena voluntad".

Cuando Dios pone un sentir, es fundamental, el Pastor Cho aconseja someter nuestros deseos a la prueba del tiempo, si provienen de Satanás o de la carne se esfumarán;pero si son de Dios, permanecerán. Entendiendo que el deseo de Dios es aquel que está conforme a la Palabra.
Así lo confirma el **Salmo 33:11**

> "El consejo de Jehová permanecerá para siempre; los pensamientos de su corazón por todas las generaciones".

D. Dios pone paz en el corazón para confirmar Su Voluntad

> "Y la paz de Dios, que sobrepasa todo entendimiento guardará vuestros corazones y vuestros pensamientos en Cristo Jesús".
> Filipenses 4:7

Una de las señales más confiables para conocer la voluntad de Dios, es la paz en el corazón. Es una paz interna con respecto a la decisión que vamos a tomar que sobrepasa nuestro entendimiento. Esta paz la pone Dios, El quita toda duda e incertidumbre y trae plena confianza y seguridad.

Esta confianza no se puede basar en buenos razonamientos, podemos mostrar una aparente seguridad, pero no callar esa voz interna que nos dice: No, no lo hagas, así no es. Esa es la voz de Dios diciéndonos cómo lo que pensamos no es su voluntad. En este caso, lo más recomendable es buscar en oración al Señor y contarle sinceramente las cosas más secretas, pidiéndole que si no es su voluntad trastorne todos los planes; pero si es, afirme nuestros pensamientos.

Hay quienes oran una y otra vez por una relación sentimental con una persona inconversa para que Dios haga su voluntad. Sin embargo, cuando Dios les habla al corazón y en lo más interno de su ser, les asalta la duda, el temor y la paz respecto a su futuro con esa persona se va.

Aún, sabiendo que Dios no está de acuerdo con esa relación no obedecen. Siempre tienen una excusa, una justificación, un después, una última oportunidad; pero cuando el tiempo establecido como la última oportunidad se cumple, aplazan nuevamente la decisión, sin darse cuenta que están desperdiciando su vida en una relación que no va a dar fruto.

A veces se es terco y cuando se reconoce el error es demasiado tarde y duele mucho.

El Rey Salomón lo expresa así:

" Encomienda a Jehová tus obras y tus pensamientos serán afirmados" Proverbios 16:3.

Este y no otro será el resultado de buscar a Dios.

El Espíritu Santo obrará llegando a lo más profundo de su corazón y pondrá un sentir interior de confirmación o de negación; una convicción profunda de su perfecta voluntad, una sensación de paz que sobrepasa su entendimiento.

E. Las circunstancias se ponen a nuestro favor

Cuando nos movemos como Dios quiere veremos las circunstancias a nuestro favor, si no, estas se presentarán adversas y difíciles.

La Biblia nos narra un caso específico de moverse en contra de la voluntad de Dios, el de Balaam. El quería ir y maldecir a Israel, consultó a Dios y El le respondió:

"... No vayas con ellos, ni maldigas al pueblo, porque bendito es". Números 22:12.

Sin embargo, la avaricia de Balaam pudo más que la obediencia y terminó yendo a ese lugar para desatar maldición.

Dios se opuso de tal manera, que usó una mula para hacerlo entrar en razón, ésta se resistió a andar y hasta le habló. Luego, Dios cambió tres veces su maldición en bendición.

Definitivamente necesitamos reconocer cuando Dios no está en el asunto,analizando cada situación y las circunstancias. Si vemos que siempre pasa algo y las cosas no se dan, lo más sabio no es pelear contra la corriente, sino renunciar a ese propósito y esperar en Dios, pues El sin duda, tendrá algo mejor.

Estoy convencida que si sigue estos cinco pasos asegurará su futuro.Pues tendrá la dirección del ser más sabio del universo que todo lo ve, lo sabe y desea lo mejor para su vida en todos los aspectos.

"... PARA QUE COMPROBÉIS CUÁL SEA LA BUENA VOLUNTAD DE DIOS, AGRADABLE Y PERFECTA"
ROMANOS 12:2

TALLER
CÓMO CONOCER LA VOLUNTAD DE DIOS

1. ¿Por qué podemos descansar en que la Voluntad de Dios nos dará la felicidad que anhelamos?. Según **Jeremías 29:11.**

pues conozco los planes que para ustedes tengo, dice el señor, son planes de Bien y no de mal para darles un futuro y Esperanza

2. ¿Cómo es la Voluntad de Dios?. **Romanos 12:2.**

a. _es Buena._
b. _es agradable_
c. _es perfecta_

3. ¿Qué significa que la Voluntad de Dios es perfecta?

Perfecta viene del griego telión que significa capacitandonos para Realizar el verdadero fin o Proposito de nuestra Existencia.

4. ¿Cuál es el primer paso para conocer la Voluntad de Dios?

para entender la perfecta voluntad de Dios es necesario llevar a cabo Varios pasos que confirma su Proposito en nuestra vida:

5. ¿A través de qué El Señor nos guía en Su Voluntad?. **Salmo 119:105.**

la biblia tiene la Respuesta para todas y cada una de nuestras necesidades ya sean en lo economico lo sentimental, el estudio, y lo fam: etc lampara es a mis pies tu palabra, y lumbrera a mi Camino

6. ¿A qué prueba es necesario someter nuestros deseos?.
¿Porqué?. **Salmo 33:11.**

El consejo de Jeová permanecerá para siempre; los pensamientos de su corazón por todas las generaciones

7. ¿Qué pone Dios en nosotros para confirmar su Voluntad?

La paz esta paz la pone Dios, el quita toda duda e incertidumbre y trae plena confianza y seguridad.

RECUERDA:
"ENCOMIENDA A JEHOVÁ TUS OBRAS
Y TUS PENSAMIENTOS SERÁN AFIRMADOS"

8. La Biblia narra el caso de Balaam, que se movió en contra de la Voluntad de Dios; ¿Qué podemos aprender de este ejemplo?

Cuando nos movemos como Dios quiere veremos las circunstancias a nuestro favor, si no, estos se presentan adversos y difíciles.

"No vayas con ellos ni maldigas al pueblo, porque benditos es."

"FÍATE DE JEHOVA DE TODO TU
CORAZÓN, Y NO TE APOYES
EN TU PROPIA PRUDENCIA."

BIBLIOGRAFÍA

BARCLAY WILLIAM, Comentario al Nuevo Testamento, Volumen 13, Editorial CLIE, 1994.P. 142.

BRIGHT WILLIAM, Los diez grados básicos del desarrollo cristiano, Editorial Vida. Tercera reimpresión, 1988.

CASTELLANOS CESAR. Encuentro. Primera edición 1996.

GRAHAM BILLY, El Espíritu Santo. Casa Bautista de Publicaciones, Tercera Edición, 1986. P.89.

GREATHOUSE WILLIAM M. Comentario Bíblico BEACON. TOMO 8.Casa Nazarena de publicaciones.
Primera edición revisada, 1991.

LA BIBLIA AL DIA, Sociedad Bíblica Internacional, 1979. Nuevo Testamento. P.3

LA HAYE TIM, Cómo estudiar la Biblia por sí mismo, Editorial Betania, 1977. P.29-34.

McDOWELL JOSH. Cómo preparar a sus hijos para que digan NO a las presiones sexuales.
Editorial UNILIT. Primera edición 1.990

PRINCE DEREK, El manual del cristiano lleno del Espíritu Santo, Editorial Carisma, 1995. P.173

TAYLOR KENNETH N, Próximos pasos para nuevos creyentes, Editorial UNILIT, 1992.

TAYLOR RICHARD, Comentario Bíblico BEACON, TOMO 10, Casa Nazarena De Publicaciones, Segunda edición,1992. P.383

VINE W. E. Diccionario expositivo de palabras del nuevo testamento. Tomo 1. Impreso en talleres gráficos de la M.C.E. Horeb. copi 1.984 por Clie

YONGGI CHO PAUL, La Cuarta Dimensión, Editorial VIDA, cuarta reimpresión, 1986. P 89.